VOUS PROMETTEZ
DE NE RIEN DIRE ?

DU MÊME AUTEUR

Puis-je vous dire un secret ? L'Archipel, 1999.

MARY JANE CLARK

VOUS PROMETTEZ DE NE RIEN DIRE ?

*traduit de l'américain
par François Thibaux*

l'Archipel

Ce livre a été publié sous le titre
Do you promise not to tell ?
par St. Martin's Press, New York, 1999.

Si vous désirez recevoir notre catalogue et
être tenu au courant de nos publications,
envoyez vos nom et adresse, en citant ce
livre, aux Éditions de l'Archipel,
34, rue des Bourdonnais, 75001 Paris.
Et, pour le Canada,
à Édipresse Inc., 945, avenue Beaumont,
Montréal, Québec, H3N 1W3.

ISBN 2-84187-257-2

A Élisabeth, mon lumineux,
mystérieux et miraculeux trésor

Prologue

Mardi gras

Pourquoi se fatiguer à acheter un fusil alors qu'il suffisait de flâner le long des rayons de Home Garden, grand magasin spécialisé dans les travaux de jardinage et d'extérieur ? Tout était là, à portée de main.

Premier article à ranger dans le panier métallique : un paquet d'épais sacs en plastique noir, d'une solidité à toute épreuve. « Usage industriel », indiquait l'étiquette.

Personne ne regretterait Misha ; en tout cas, personne susceptible d'éveiller l'intérêt de la police.

Arpenter lentement les allées, choisir avec soin. De bonnes cisailles à élaguer. Hop ! Dans le panier.

Ou tu fais équipe, Misha, ou tu joues perso.

Les haches, maintenant. Il y en avait tellement... Et le temps pressait.

— Puis-je vous aider ? demanda un vendeur arborant un tablier orange.

— Oui. J'ai un gros travail à faire sur mon terrain : du débroussaillage, des arbres à émonder.

— Des troncs de quelle dimension ?

Rapide coup d'œil à la silhouette du vendeur.

— Un peu plus épais que votre taille.

L'employé sélectionna dans le rayon une grande hache au manche de bois.

— Celle-là est une pure merveille. Double lame. Si l'une s'émousse, vous utilisez l'autre.

— Parfait.

— Vous m'avez dit que vous deviez aussi débroussailler… Vous vous épuiseriez à utiliser une hache aussi lourde pour ce genre de travail. Prenez aussi une hachette.

Va pour la hachette, qui trouva sa place à côté des sacs plastique.

— Je vous conseille également cette pierre à aiguiser. Des tranchants bien effilés vous faciliteront la tâche.

Très bien. Et puis un marteau flambant neuf, au cas où…

Mieux valait partir avant de changer d'avis. Quand on décide de commettre un crime, il faut aller jusqu'au bout, sans se poser de questions.

L'adolescent boutonneux préposé à la caisse examina les outils qui allaient – comment dire ? – tailler Misha en pièces. Lorsqu'il leva les yeux, un frisson lui parcourut l'échine. Il se maîtrisa et lança d'une voix enjouée :

— Le grand nettoyage de printemps, hein ?

1

Mercredi des Cendres

Faye savait que ses jours étaient comptés. Son contrat arrivait à expiration et Richard Bullock, directeur de la rédaction de « A la une ce soir », ne l'aimait guère. Combinaison mortelle qui, si la jeune femme ne se ressaisissait pas, aurait raison de sa carrière de reporter au journal télévisé le plus prestigieux du pays. A moins qu'elle ne sorte un lapin de son chapeau...

Elle avait même recommencé à aller à la messe. Curieux comme les soucis vous ramènent sur les bancs des églises... En se rendant à son bureau, ce matin-là, Faye s'était arrêtée à Saint-Gabriel pour déposer, du bout des doigts, un peu de cendre sur son front. Autant commencer le carême en respectant les rites. Avoir dès à présent Dieu de son côté ne pourrait pas lui nuire.

Le temps de sa gloire était bien loin. Huit ans plus tôt, alors qu'elle n'en avait que trente, Faye avait été la vedette de KEY News après avoir reçu, en une seule saison, trois *Emmy Awards*, hommage de la profession à la qualité exceptionnelle de ses reportages. A l'époque, tout le monde l'aimait, chacun souhaitait devenir son ami. Ses collègues l'admiraient, cherchaient à s'attirer ses bonnes grâces.

Que s'était-il passé?

En premier lieu – elle l'admettait elle-même –, elle avait eu tendance à s'endormir sur ses lauriers, à mettre moins d'énergie, moins d'enthousiasme dans son travail. Mais tout n'était pas entièrement de sa faute. Il y avait autre chose : son patron la détestait ; elle n'avait aucun doute à ce sujet. Il la laissait sur la touche, ne lui confiait que des sujets bouche-trous dont personne ne voulait et qui, souvent, ne passaient même pas à l'antenne.

Parfois, le sujet traité par Faye se révélait plus intéressant que prévu. Le directeur de la rédaction était alors bien obligé de lui accorder une place dans le journal du soir. Il ne le faisait qu'en rechignant. Lorsque le reportage était bon, il en attribuait tout le mérite au correspondant sur place. S'il n'avait pas l'impact espéré, toute la responsabilité en revenait à Faye, éternel bouc émissaire.

Elle suspendit son manteau de laine violet derrière la porte et, vêtue d'un simple tailleur, en laine lui aussi, se dirigea vers son bureau, au fond de la pièce qu'elle partageait avec Dean Cohen, le journaliste préféré de Bullock. Tout en se servant une tasse de café, elle essaya de se souvenir de ce qu'elle ressentait à l'époque où le « chouchou », c'était elle.

Dean n'était ni plus compétent, ni plus motivé qu'elle. Il réalisait des reportages honorables, sans plus. Mais, fin politique, il cultivait à merveille l'art de se faire bien voir et savait se taire quand il le fallait, ce dont Faye était bel et bien incapable. Elle devait d'ailleurs se contenir pour ne pas accabler son collègue de sarcasmes chaque fois qu'il flattait outrageusement Bullock.

— Joyeux mercredi des Cendres, lui lança-t-il, remarquant la petite tache de cendre sur son front.

— Ces deux termes ne vont pas ensemble.

— Très juste. Tu es poussière et tu retourneras à la poussière... C'est ça, non ?

Il se replongea dans le *New York Times*. Elle regretta aussitôt la sécheresse de sa réplique. Elle aurait pu se contenter de lui sourire et de lui répondre par un simple « merci », attitude qu'auraient adoptée la plupart des gens. Mais c'était plus fort qu'elle : il fallait qu'elle remette Dean à sa place, qu'elle tente sans cesse de prendre le dessus dans la rivalité de tous les instants qui les opposait. Cela n'arrangeait pas leurs rapports.

Peut-être aurait-elle eu un comportement différent si elle avait été plus jolie. Mais, jolie, elle ne l'était pas au sens conventionnel du terme. Étrange, peut-être, exotique dans les bons jours. Elle avait su, dès sa plus tendre enfance, que seules ses capacités intellectuelles lui permettraient de se frayer un chemin dans la vie. Une tignasse sombre et frisée, un peu rêche, couronnait son large front. De grands yeux noirs (trop grands, peut-être) lui donnaient un regard perpétuellement interrogatif, ce qui, dans un milieu où un semblant de maîtrise de soi compte davantage qu'une maîtrise réelle, ne représentait certes pas un atout.

Elle alluma son ordinateur, gémit intérieurement à la vue de son emploi du temps de la journée. Comment pourrait-elle modifier l'opinion de Bullock à son égard s'il s'obstinait à ne lui confier que les chiens écrasés ?

La vente aux enchères Fabergé chez Churchill's ? Du menu fretin, sans le moindre intérêt.

2

Pat fit un effort pour rester assise. *Je vous en prie, Mon Dieu, faites encore un peu monter les enchères.*

Le marteau du commissaire-priseur s'abattit avec un bruit mat.

— Vendu ! Au numéro 14 ! Sept mille dollars pour la broche Fabergé !

Patricia Devereaux tendit sa tête à la chevelure auburn, impatiente de savoir qui avait mis la main sur ce bijou en forme de croissant qu'Olga chérissait par-dessus tout. Scrutant la foule, elle perçut un mouvement deux rangs devant elle. Assise dans une des chaises pliantes disposées dans la galerie où avaient lieu les ventes de la vénérable maison Churchill's, une vieille dame d'aspect irréel, tout de noir vêtue et tenant à la main son carton vert, venait d'abaisser le bras. Elle se leva, permettant à Pat d'admirer à loisir ses yeux lumineux et sombres et la blancheur de son visage. Ses cheveux brillants, très noirs, étaient sans doute teints. Mais, des années plus tôt, ils avaient dû posséder, de façon naturelle, cette couleur éclatante. Dans sa jeunesse, pensa Pat, cette femme avait certainement été une beauté.

A présent, cette beauté d'un autre temps allait porter la broche d'Olga. Pat ressentit une pointe de tristesse. Chère Olga. Combien de fois la toute petite Russe avait-elle agrafé avec amour ce bijou sur le col de ses chemisiers de lin soigneusement amidonnés ? Elle aimait tant ce croissant d'émail serti de minuscules saphirs que lui avait offert son père, jadis employé dans les ateliers du célèbre joaillier. Si une vieille dame devait arborer cette pièce unique, Pat aurait mille fois préféré que ce fût Olga.

Carl Fabergé. Joaillier impérial, fournisseur des derniers Romanov.

Pat et Peter, son fils de dix-neuf ans, tournèrent leur regard vers le commissaire-priseur à l'allure distinguée, debout derrière l'estrade de noyer dressée au bout de la galerie. Des hommes et des femmes élégamment vêtus téléphonaient depuis des bureaux installés de chaque côté de l'estrade. Leur travail consistait à faire monter les enchères au bon moment pour le compte d'acheteurs absents.

Le commissaire-priseur évoluait avec dextérité à travers les articles numérotés du catalogue. Un petit cendrier de cuivre estampé des aigles impériales russes s'en alla pour mille quatre cents dollars. Deux pinces à asperges d'argent de Fabergé, estimées deux mille dollars, atteignirent un prix bien supérieur. Un briquet de table en argent représentant un singe accroupi fut vendu vingt-cinq mille dollars. Les traits expressifs du singe et son front plissé avaient, de toute évidence, séduit son nouveau propriétaire.

— Que proposons-nous pour la boîte à cigarettes en or ?

Pat examina la reproduction de l'objet figurant dans le catalogue. Orné d'un monogramme, son couvercle d'or à quatorze carats serti de saphirs et

15

figurant une aigle impériale, s'ouvrait d'une simple pression du pouce, révélant l'intérieur de la boîte. Une pure merveille.

— Quatre mille, une fois ! Quatre mille, deux fois... Vendu ! Quatre mille dollars au numéro 190 !

Pat reconnut l'acheteur. C'était l'homme qui avait acquis la boîte à cigarettes d'argent d'Olga lors de la vente de l'année précédente. Grand, d'aspect avenant, il portait une veste de sport en tweed. Pat lui donna quarante-cinq ans, peut-être un peu plus. Se sentant observé, il se tourna vers elle et lui sourit.

Se rappelait-il l'avoir aperçue un an plus tôt ? Peter réagit aussitôt.

— C'est le professeur Kavanagh ! Mon professeur de civilisation russe !

Le jeune homme se leva d'un bond et s'avança vers le professeur. Tous deux se serrèrent la main. Sur les lèvres de son fils, qui la désignait d'un geste, Pat put lire :

— C'est ma mère.

En entendant ces mots, Kavanagh, remarqua-t-elle, parut agréablement surpris. Elle y était habituée. Combien de fois lui avait-on dit qu'il était impossible qu'elle fût la mère d'un jeune homme de dix-neuf ans ? Ceux qui s'exprimaient ainsi ne savaient pas qu'elle avait l'âge de Peter lors de la naissance de ce fils unique.

A son tour de s'étonner. L'université de Seton Hall devait grassement payer ses enseignants. Une boîte à cigarettes de Fabergé n'était pas une babiole bon marché. Après une dernière poignée

16

de mains, Peter rejoignit sa mère. Son visage était rouge de plaisir.

— Maman, quelle journée ! murmura-t-il. Rencontrer mon professeur de civilisation russe à une vente aux enchères... Je crois qu'il a été sidéré de tomber sur un de ses étudiants dans un tel endroit.

L'enthousiasme de son fils enchanta la jeune femme. Peter était un adolescent si sérieux, si grave. Elle se surprenait parfois à espérer que rien ne l'atteindrait jamais.

— Je lui ai parlé de ton magasin, maman. Il m'a dit qu'il essayerait de passer, un jour.

— Merveilleux, mon chéri, chuchota-t-elle en retour.

Mais elle semblait davantage intéressée par ce qui se passait au fond de la salle. Les trésors numérotés continuaient à atteindre de petites fortunes. Soudain, Pat sentit un courant électrique parcourir la foule : le clou de la vente, posé sur le tapis roulant, faisait lentement son entrée. L'assistance entière se leva. Un long murmure respectueux monta de toutes parts. Les équipes de télévision disséminées aux quatre coins de la galerie braquèrent leurs caméras vers l'estrade.

Pat frissonna lorsque le commissaire-priseur annonça :

— Mesdames et messieurs, l'Œuf de lune !

3

Dans la cabine aux vitres fumées qui dominait la grande salle de Churchill's, on était à l'abri

17

des regards indiscrets. Et on pouvait voir sans être vu.

En bas, les enchères battaient leur plein. Au téléphone, les prix se télescopaient, s'envolaient.

Le commissaire-priseur annonçait les mises dès qu'il les recevait et les sommes proposées augmentaient, augmentaient encore.

L'enchérisseur dissimulé dans la cabine était bien décidé à avoir l'œuf. Autant dire qu'il l'aurait.

4

— On filme autre chose, patron?

Grand et maigre, B.J. d'Elia attendait, sa caméra sur l'épaule, les instructions de Faye.

— Une minute, Beej, je réfléchis.

Près de la sortie, Faye, debout au milieu de la foule, s'interrogeait. L'événement auquel elle venait d'assister était plus intéressant qu'elle ne l'avait prévu. Cela valait-il pour autant une interview exclusive de Clifford Montgomery, président de Churchill's? Richard ne serait jamais preneur d'un sujet entier sur la vente de l'œuf impérial. Il ne lui accorderait pas une minute et demie dans son prestigieux « A la une ce soir ». Faye l'avait su dès l'instant où il lui avait confié le reportage. Un bref commentaire, tout au plus. La présentatrice du journal, Eliza Blake, le lirait elle-même, sur quinze ou vingt secondes d'images de l'assistance, avant d'annoncer aux téléspectateurs que l'œuf avait atteint la somme record de six millions de dollars.

Rien à voir avec ce que Faye avait en tête. Elle était sûre de pouvoir réaliser un sujet beaucoup plus intéressant. Elle se rappelait les films d'actualités en noir et blanc que KEY News s'était procurés. On y voyait les Romanov sur leur yacht, le *Standart*. Peu de temps après, le tsar Nicolas II et sa famille avaient été chassés du palais Alexandre puis, quelques mois plus tard, exécutés par les bolcheviks. On avait aspergé leurs corps d'acide avant de les enterrer au fond d'un puits, dans l'obscurité d'une forêt russe.

Elle pourrait demander à Robbie de lui organiser une petite projection.

L'histoire de l'Œuf de lune, perdu depuis longtemps et récemment redécouvert, des dizaines d'années après sa fabrication sur ordre du tsar qui souhaitait l'offrir, pour Pâques, à sa chère épouse Alexandra, possédait tous les ingrédients dont aurait rêvé n'importe quel journaliste : luxe, trahison, tragédie. « Je ne peux pas passer à côté d'un sujet pareil, pensa Faye. C'est de la grande télévision. »

Elle composa, sur son téléphone portable, le numéro de l'« aquarium », centre de commandement de « A la une ce soir ». Dean Cohen décrocha.

— Cohen, dit-il d'un ton sec.

Fabuleux. Le lèche-bottes de maître Bullock en personne. Dean tournait toujours autour de l'aquarium, s'arrangeait pour être vu le plus souvent possible dans le bureau de verre du directeur de la rédaction.

— Dean, c'est Faye.

— Comment s'est passée la vente?

— Fantastique. Je peux parler à Richard?

— Il est sur une autre ligne.

— J'attends.

Se tournant vers la salle, elle aperçut une jolie femme de haute taille qui rassemblait ses affaires et quittait son siège en compagnie d'un adolescent encore plus grand qu'elle. Sa silhouette lui disait quelque chose.

Pat! Elle n'avait pratiquement pas changé depuis sa dernière rencontre avec Faye. Combien de temps, déjà? Presque vingt ans. Était-ce vraiment possible? Alors, le jeune homme devait être... Peter? Un bébé, lorsqu'elle l'avait vu pour la dernière fois! Mon Dieu...

— Bullock à l'appareil! hurla une voix dans l'écouteur.

Les manières brusques de Bullock la prenaient toujours au dépourvu.

— Richard, c'est Faye.

— Sans blague?

Évidemment. Quelle idiotie de s'être présentée. Quand comprendrait-elle que Bullock n'avait que faire des politesses? Avec lui, il fallait aller droit au but.

Elle se détesta en s'entendant bafouiller:

— Euh... L'Œuf de lune vient de partir pour six millions.

— Et alors?

— Eh bien, j'ai pensé que ça ferait un bon sujet.

— Pourquoi?

— L'histoire de cet objet est fascinante.

— Qui l'a acheté ?

— L'acquéreur a tenu à garder l'anonymat.

Il y eut un bref silence à l'autre bout de la ligne. Faye imagina Bullock en train de consulter son ordinateur.

— Ce soir, nous sommes archipleins. Le maximum que nous puissions faire, c'est vingt secondes en voix *off*.

La communication fut coupée.

5

— L'aquarium n'en veut pas, déclara Faye en haussant les épaules. Je prends un taxi, Beej. Ça ne t'ennuie pas ?

— Dommage. J'aimais bien mon plan sur ce portier déguisé en cosaque. Une panoplie comme on n'en fait plus. Bien sûr, Faye, rentre aux studios. Je te verrai là-bas.

B.J. d'Elia continua à rassembler son matériel tandis que la jeune femme s'éloignait, la tête dans les épaules. Il ne faudrait que dix minutes au caméraman pour ranger le trépied, les câbles et les projecteurs dans la camionnette garée devant Churchill's, sur Madison Avenue. Faye le savait. Et comme elle n'avait aucun sujet à réaliser pour ce soir, elle n'avait nul besoin de se presser pour regagner les locaux de KEY. Elle avait envie de se retrouver seule, sans être obligée de faire la conversation à quelqu'un. Qui aurait pu l'en blâmer ?

21

Agé de vingt-huit ans, Bartolomeo Joseph d'Elia adorait son métier. Il consacrait à sa passion quarante heures par semaine, au moins, sans compter les extra qu'il ne refusait jamais, bien au contraire. Il se jetait à corps perdu dans son travail, n'était avare ni de son temps ni de son énergie. Pour lui, tous les sujets, tous les événements étaient bons. Comme on dit, il « mouillait la chemise ». En plus, on le payait pour ça.

Il ne pouvait s'empêcher de plaindre ceux qui se levaient, le matin, déjà épuisés par la perspective d'une journée sans intérêt dans une usine ou un bureau, où ils compteraient les heures en attendant de rentrer chez eux pour dîner, avant de regarder la télévision et puis de se coucher, sans autre horizon qu'une nouvelle journée aussi ennuyeuse que toutes les autres. Cette simple idée le faisait frémir. Il avait, lui, chaque jour, la chance de se réveiller heureux, impatient de se retrouver sur la brèche.

A l'opposé, Faye devait lutter en permanence pour conserver son poste. A KEY, où les rumeurs et les commérages ne cessaient jamais, nul ne l'ignorait. L'évolution de la carrière des uns et des autres, leurs chances de promotion ou, au contraire, leur disgrâce prochaine, étaient au cœur de toutes les discussions. Les employés de la chaîne ressemblaient à ces badauds qui, du haut d'une passerelle d'autoroute, assistent à un carambolage en se demandant qui y restera et qui en réchappera ; fascinés et en même temps soulagés (« heureux » serait peut-être un terme plus approprié) de se savoir vivants, du moins pour cette fois.

KEY News n'était plus l'entreprise qui s'enorgueillissait, jadis, de s'occuper des siens de la naissance à la tombe. Autrefois, on ne se débarrassait pas d'un collaborateur qui avait bien servi la maison. Son heure de gloire passée, on le gardait, respectant une devise qui aurait pu être : « Vous nous avez été utile, nous ne vous laisserons pas tomber. » Ce n'était plus le cas. L'ambiance s'en ressentait. Conscients de ce changement, les employés se souciaient moins de leurs résultats. Pourquoi se seraient-ils décarcassés pour une chaîne qui en retour, ne leur témoignerait aucune reconnaissance ?

Voilà pourquoi B.J. faisait figure d'exception. Toujours prêt à partir n'importe où, à peaufiner ses sujets comme si, chaque fois, sa nomination à un *Emmy Award* en dépendait. Il ne négligeait aucun détail, travaillait le moindre plan. Les réalisateurs adoraient faire équipe avec lui. Sûrs que ce qu'il rapporterait de ses tournages en extérieur constituerait un matériel de premier ordre, ils se l'arrachaient.

D'autant qu'il était facile à vivre. Vif, plein d'aplomb, il maîtrisait toutes les situations, ne se laissait démonter par aucun imprévu. Dans un monde où l'on se prenait terriblement au sérieux, il avait l'art, grâce à son humour, d'apaiser les tensions. Ce jour-là, pourtant, il n'avait pas réussi à dérider Faye. Elle n'avait même pas souri à ses plaisanteries.

Tout en achevant d'enrouler le fil de caoutchouc noir pour le glisser dans l'étui où il avait déjà rangé sa caméra, il jeta un coup d'œil vers la salle des ventes. Aussitôt, il oublia Faye. La jeune Eurasienne du standard téléphonique était ravissante. Pendant quelques secondes, il se demanda s'il allait l'aborder ou non.

6

La vente terminée, Pat et Peter récupérèrent leur manteau au vestiaire. Le professeur Kavanagh les rejoignit.

— Permettez-moi de me présenter, madame Devereaux. Tim Kavanagh. Je suis le professeur de civilisation russe de Peter.

Pat lui sourit avec chaleur. Il avait une poignée de main ferme, franche. Cela lui plut.

— Je suis ravie de vous rencontrer. Peter me parle sans cesse de votre cours. C'est celui qu'il préfère, je crois.

— Votre fils montre un réel enthousiasme pour l'histoire de la Russie. C'est assez peu courant chez quelqu'un de son âge, d'autant qu'à ma connaissance, il n'a pas une goutte de sang russe dans les veines.

— Vous ne vous trompez pas. Mon fils est issu d'une longue lignée d'Irlandais. Mais il n'a jamais témoigné beaucoup d'intérêt pour cette part de son héritage !

Peter corrigea.

— Maman, je suis Américain. Je connais l'histoire des États-Unis.

— Bien sûr. Cela ne devrait quand même pas t'empêcher de te pencher un petit peu sur les pérégrinations de tes ancêtres.

Elle boutonna son caban en poil de chameau puis salua le professeur Kavanagh.

— J'ai été très heureuse de vous rencontrer.

— Moi de même. Mais il est l'heure de déjeuner et cette magnifique collection Fabergé m'a mis en appétit. Pourquoi ne vous emmènerais-je pas déguster un hamburger 100 % américain ?

— Excellente idée ! s'exclama Peter sans laisser à sa mère le temps de réagir.

Elle éclata de rire. « Pourquoi pas ? » se dit-elle. La plupart du temps, quand un homme l'invitait, elle trouvait de bonnes excuses, liées à son activité professionnelle ou à ses obligations de mère. Elle avait fini par admettre qu'elle ne souhaitait surtout pas retomber amoureuse, se lier à quelqu'un qui lui aurait compliqué l'existence. Là, elle ne risquait pas grand-chose. Peter et son professeur. Un hamburger... Quoi de plus anodin ? Le professeur Kavanagh la regardait, guettant sa réponse.

— Entendu. Je meurs d'envie d'un cheeseburger !

Au moment où ils franchissaient la lourde porte de verre en direction de la rue, Pat sentit une main sur son épaule. Surprise, elle se retourna.

— Mon Dieu, Faye ! Faye Slater !

Elle étreignit la jeune femme.

— Je ne t'ai pas vue depuis... une éternité !

7

Tony ne voyait aucun inconvénient à se pavaner déguisé en cosaque. Son costume agissait comme un charme sur les vieilles dames, ses principales pourvoyeuses de pourboires. Il était néanmoins reconnaissant à Clifford Montgomery d'avoir décidé que la saison russe se tiendrait en février et mars plutôt qu'en juillet et août.

Debout devant l'entrée imposante de Churchill's, il avait fière allure dans son long manteau de laine bleu marine au col et aux parements rouges, avec ses bottes de cuir souple, son sabre au côté, la poitrine barrée en croix par une cartouchière remplie de vraies balles, à l'inverse du faux pistolet dont le holster pendait à sa hanche. Pour paraître plus authentique encore, il s'était même laissé pousser la barbe en prévision de ce mois si particulier.

La vente Fabergé avait attiré une foule énorme. Montgomery et ses administrateurs devaient se frotter les mains. Tout cela stimulait les affaires. Et ce qui était bon pour Churchill's était bon pour Tony.

Autant de clients, autant de bénefs. Au vu des critères new-yorkais, son salaire de trente mille dollars par an n'avait rien de mirobolant. Mais, les années fastes, il lui arrivait de tripler ses revenus en charmant et bichonnant les riches habitués de la salle des ventes.

Il hélait les taxis, se chargeait des manteaux et des paquets, réservant en priorité sa sollicitude aux rupins qui avaient l'habitude d'être servis et ne lésinaient pas sur les petits cadeaux. Il aidait les aveugles et les vieillards à se frayer un chemin au milieu de la circulation de Madison Avenue. Bien sûr, il le faisait pour l'argent, mais aussi par principe. La plupart du temps, il ne le regrettait pas : ces personnes vulnérables se montraient généreuses avec lui, non parce qu'elles étaient riches, mais parce que sa bonne volonté et son empressement lui attiraient toutes les sympathies. Les billets de dix et de vingt dollars, dont le fisc ne verrait jamais la couleur, s'accumulaient dans ses poches.

La meilleure période, c'était Noël. Les gens, alors, ne regardaient pas à la dépense. Les ventes spéciales organisées par Churchill's, étalées sur plusieurs semaines et où l'on rencontrait les mêmes acheteurs, n'étaient pas mal non plus. Les habitués se sentaient rassurés par la présence du gentil portier. Tony se mettait en quatre pour leur être agréable. Quant à eux, honorant leur contrat tacite, ils glissaient chaque fois quelques billets bien craquants dans sa main gantée.

— Bonjour, madame Busby.

Il poussa le battant de verre, s'effaçant devant une autre jolie femme impeccablement habillée.

Il n'aurait pas cédé sa place pour un empire. Depuis la porte, il voyait tout le monde entrer et sortir ; et il s'efforçait de retenir le nom de chacun. Les clients aimaient ça.

8

A Little Odessa, ou Brighton Beach, appellation officielle de ce quartier sur les cartes de Brooklyn, la vie est plutôt agitée. Le long de Brighton Beach Avenue, l'artère principale, des gens au visage soucieux se croisent à la hâte, pressés de se rendre à leur destination. Seuls les vieillards et les très jeunes enfants ont un rythme moins trépidant.

L'avenue regorge de boutiques de primeurs. Émerveillés, les immigrants russes choisissent avec soin leurs pommes, leurs bananes et leurs poires. Le vieux pays ne les a pas habitués à une telle abondance de produits frais, bien mûrs sans être gâtés.

Dans les kiosques à journaux, le *New York Post,* le *Daily News* et le magazine *People* côtoient des périodiques en langue russe. On trouve aussi, sur les trottoirs, de petits étals où des particuliers proposent aux passants des livres en alphabet cyrillique.

La signalisation des rues est elle aussi en cyrillique, tout comme les devantures des drugstores, des bazars et des bijoutiers. On trouve dans les magasins toutes les denrées traditionnelles russes : pain noir, poisson et pâtisseries. D'innombrables variétés de pâtisseries. Après des décennies de privations, les immigrants venus de Russie se gavent de sucreries.

Sur la promenade de planches qui, parallèle à Brighton Beach Avenue, longe les eaux froides et grises de l'Atlantique, des hommes et des femmes âgées font leur marche quotidienne, profitant du pâle soleil d'hiver. Tous s'expriment en russe, évoquant leur souci de tous les instants : la criminalité qui sévit à Little Odessa.

Car certaines choses ne changent jamais. Au vieux pays, les gros bonnets du gouvernement exploitaient les pauvres citoyens. Ici, en Amérique, la mafia russe a pris le relais. Trop souvent, les conversations, sur la promenade, portent sur un malheureux commerçant retrouvé mort pour avoir refusé la protection des racketteurs. Les criminels, insatiables, ne font pas de quartier.

Tel est Little Odessa, où, dans une chambre de location située au-dessus du restaurant Primorski, vivait Misha Grinkov. Bien des années plus tôt, en débarquant aux États-Unis, il s'était rendu directement à Brighton Beach, seul endroit où, pour un homme incapable de prononcer un mot d'anglais, la langue ne poserait aucun problème.

Il s'était aussitôt lancé à la recherche d'un emploi. Dans sa nouvelle patrie, lui semblait-il, il ne survivrait qu'en retrouvant une occasion d'exercer son métier, où il excellait. Il avait donc pris le métro pour Manhattan. Descendant les rues chics de l'Upper East Side, il s'était dirigé droit vers La Russie impériale, vénérable établissement de la Cinquième Avenue spécialisé dans la vente d'antiquités russes, de bibelots et de bijoux rescapés de l'époque tsariste, avant que les communistes ne prennent le contrôle du plus vaste pays du monde.

L'antiquaire, Konstantin Kaledin, s'était adressé à lui en russe. Misha lui avait décrit son activité à

Saint-Pétersbourg, avant de défaire avec précaution un paquet enroulé dans du feutre noir, qu'il avait transporté comme un trésor pendant son long voyage vers son pays d'adoption. Après avoir examiné le superbe travail de l'immigrant, Kaledin, trop heureux de tomber sur un expert en émaillage de cette qualité, l'avait embauché sur-le-champ.

Misha se mit à la tâche dès le lendemain. La boutique recevait sans cesse des boîtes à cigarettes, des coupe-papier, des supports de verre à thé, des cadres et des candélabres auxquels il fallait redonner leur aspect d'origine. Misha mélangeait le composé de verre et d'oxydes métalliques, le chauffait jusqu'à ce qu'il commence à fondre. Il l'appliquait ensuite avec soin sur la surface de métal préalablement préparée et gravée. La fusion de l'émail se faisait à une température extrêmement élevée. Cette opération était la plus pénible, la plus délicate, même pour un artisan chevronné. Misha, lui, la réussissait toujours. La difficulté le stimulait. Rien ne lui avait procuré de plus grandes joies que ses longues années d'apprentissage en Russie, lorsqu'il fabriquait l'émail par strates, insérait des motifs de feuilles d'or entre les couches, puis gravait des décorations sur l'objet à recouvrir avant d'y appliquer l'émail lui-même. Ensuite, il le polissait à l'aide d'une peau de chamois pendant des heures, avec amour. Il savait que pour aboutir à une beauté parfaite, il ne faut ménager ni son temps, ni sa peine.

Un jour, l'air plus grave encore que d'habitude, monsieur Kaledin s'approcha de son établi.

— Un de mes clients est bien ennuyé. L'émail d'une de ses pièces, d'une valeur inestimable, s'est craquelé. Toi seul est capable de la remettre en état.

Ainsi Misha fut-il amené à contempler, pour la première fois depuis son installation en Amérique, un œuf Fabergé.

Au cours des dix années suivantes, il continua à travailler à « La Russie Impériale », restaurant l'émail des chefs-d'œuvre qui transitaient par le magasin, tout en apprenant l'anglais au contact de Kontanstin Kaledin et de ses autres employés.

Un simple poste de vendeur chez ce vieil homme connu comme le loup blanc permettait de se faire une place dans le monde très fermé des antiquaires. Les heureux élus en apprenaient bien plus sur les œuvres d'art russes que dans n'importe quel cours ou n'importe quelle bibliothèque. L'un d'entre eux, un grand Noir au langage châtié, avait fini par devenir le bras droit de Kaledin. Il s'appelait Clifford Montgomery. Misha se souvenait de la tristesse du vieil homme lorsque Montgomery avait décidé de quitter son magasin pour rejoindre une grande salle de ventes aux enchères : Churchill's.

9

Jack McCord détestait l'école russe. Plancher sur un jargon impossible pour lequel il n'avait aucune disposition lui donnait de l'urticaire. D'un autre côté, son travail le passionnait : enquêter, résoudre

31

des énigmes et débusquer les truands, il adorait ça. Or, l'exercice de sa profession impliquait l'apprentissage de cette foutue langue.

Même si la guerre froide était terminée, le Bureau fédéral d'investigation avait encore de bonnes raisons d'envoyer des agents d'élite à l'école russe. Alors que pendant des dizaines d'années, les diplômés du FBI s'étaient focalisés sur le contre-espionnage et la traque des agents soviétiques infiltrés aux États-Unis, McCord, lui, dépendait, au bureau de New York, de la division des contrefaçons d'œuvres d'art. Les faux objets d'art russes inondaient littéralement le marché.

Tout en se dirigeant au volant de sa voiture, tôt ce matin-là, vers Brighton Beach, il ne cessait de pester contre les restrictions budgétaires imposées par le Bureau, alors que le manque d'agents, dans son secteur, devenait dramatique. Il s'était copieusement engueulé avec son supérieur pour tenter d'obtenir une équipe de surveillance. Ses supplications n'avaient servi à rien. Le patron estimait que Misha Grinkov n'était pas un assez gros poisson pour être suivi en permanence.

— Débrouille-toi avec les moyens du bord, avait conclu Roger Quick.

Facile à dire pour un homme qui ne quittait jamais son bureau et passait son temps l'arrière-train vissé dans son fauteuil. Il y avait longtemps qu'il n'était pas allé sur le terrain, et cela se sentait. Ce Quick, Jack ne pouvait pas le saquer. L'idée de recevoir des ordres de ce peigne-cul le faisait vomir.

Il n'en laissait rien paraître. Il savait que Quick l'avait dans le collimateur et n'attendait qu'une occasion de lui faire perdre son sang-froid. Encore une fois. Un brouillard grisâtre stagnait le long de l'avenue. Jack trouva une place non loin du restaurant Primorski. Il gara sa voiture, verrouilla les portières et marcha vers le *coffee shop*, sur le trottoir d'en face.

Rien, pensait-il, ne réjouirait davantage ce fils de pute. Quick n'ignorait pas qu'une nouvelle prise de bec mettrait fin à la carrière de Jack. Le FBI n'aimait pas les forts en gueule.

Jack préférait être pendu plutôt que de donner cette satisfaction à son chef.

Il choisit une table face à la rue, commanda un café et attendit Misha.

10

En début de matinée, le lendemain de la vente aux enchères, Faye, assise à son bureau de KEY News, sirotait son café en lisant la première page du *New York Times*.

« L'Œuf de lune, dernier des œufs de Pâques impériaux commandés par le tsar Nicolas II à l'intention de son épouse Alexandra et disparu pendant des décennies dans le chaos qui suivit la révolution russe de 1917, a été acquis hier pour six millions de dollars à la galerie Churchill's de New York. Cet œuf sortait des ateliers de Fabergé, le joaillier le plus célèbre de tous les temps.

« Constitué d'un émail blanc translucide plaqué sur de l'or gravé, ce trésor repose sur un nuage bleu sombre de lapis-lazuli ciselés, tournant sur un socle d'or. D'après les dessins récemment retrouvés dans un ancien catalogue Fabergé, l'œuf, une fois ouvert, était censé révéler la "signature" du joaillier Fabergé, unique pour chaque objet. Il s'agissait, dans ce cas, d'une pluie de diamants qui, après qu'on eut actionné un mécanisme, aurait brillé comme la queue d'une comète. Cette merveille a aujourd'hui disparu.

« L'Œuf de lune n'a jamais été livré au tsar, fait prisonnier, avec son épouse et leurs cinq enfants, par les bolcheviks. La famille entière fut exécutée l'année suivante.

« Dans le tumulte qui suivit la chute des Romanov, de nombreux trésors furent perdus ou vendus par le nouveau gouvernement, à court de liquidités. Les cartons de Carl Fabergé, déposés aux archives de Saint-Pétersbourg, renferment des dessins de l'Œuf de lune, alors en préparation. Mais, jusqu'à l'annonce de sa mise en vente par Churchill's, nul ne savait où il se trouvait, ni même s'il existait vraiment.

« Au fil des années, différents objets décoratifs ou utilitaires créés par Fabergé se sont retrouvés dans des endroits plus que singuliers. Churchill's a déclaré que l'Œuf de lune avait été découvert et acheté par le consignateur au marché aux puces de la 26e rue, à New York.

« Cette nouvelle a provoqué une véritable fièvre dans le monde de l'art. On s'attendait à ce que l'Œuf de lune soit acheté par la *Forbes Magazine Collection*, qui possède déjà neuf œufs impériaux de Fabergé. Toutefois, selon Clifford Montgomery, président de Churchill's et spécialiste des objets d'art russes, l'acquéreur tient à garder l'anonymat. »

En avalant une nouvelle gorgée de café, Faye tacha son chemisier d'un blanc immaculé. Une bourde de plus ! De toute façon, c'était son jour. Elle contempla la photographie en couleur de l'Œuf de lune qui illustrait l'article du *Times*. « A la une ce soir » venait de passer à côté d'un sujet en or, uniquement parce que Richard avait laissé son antipathie pour Faye altérer son jugement. La présidente de KEY, Yelena Gregory en personne, qui avait du sang russe dans les veines, avait réagi vertement. Elle avait téléphoné à Richard pour lui faire part de son mécontentement. « Il doit s'en mordre les doigts », pensa Faye avec jubilation. D'autant qu'à KEY, le *New York Times* était une bible et que tous les autres journaux télévisés avaient abondamment commenté l'événement de la veille.

Malheureusement, Richard ne reconnaissait jamais ses torts. C'était à elle, Faye, qu'il allait faire porter le chapeau.

11

Misha répondit au coup frappé à la porte de son petit atelier dissimulé dans Brighton Beach, laissant sur son établi son sandwich au saucisson à demi mangé.

— Ne sais-tu pas que tu dois demander :
« Qui est là ? » avant d'ouvrir ? Je pourrais être
n'importe qui – la police, la mafia russe… n'importe qui.

Misha grimaça un sourire.

— Bien sûr, mais je savais que c'était toi. Personne d'autre ne vient jamais ici.

Tant mieux pour moi et tant pis pour toi, pensa
le visiteur.

Misha pivota et montra son établi débarrassé de
tout sauf de son sandwich, puis ses outils de
joaillier rangés avec soin juste au-dessus, dans le
casier fixé contre le mur.

— Comme tu vois, j'ai un peu de mal à commencer quelque chose de nouveau.

— Pourquoi donc ?

— Je te l'ai déjà dit, répliqua aigrement Misha,
les yeux fixés sur ses outils : je veux une plus
grosse part de bénéfices. Tu gagnes des fortunes
alors que Misha se tape tout le boulot. Je ne
demande qu'un partage plus équitable.

— Tu as raison. Ton travail sur l'Œuf de lune
était absolument parfait. Tellement parfait qu'il
ne nous reste plus, l'un et l'autre, qu'à nous tourner les pouces. Six millions de dollars, c'est un
sacré magot.

Misha se tourna vers son visiteur. Cette fois, son
sourire était radieux.

— Alors, tu partages vraiment avec moi ?

Le marteau s'abattit au beau milieu de son front.
Il ne sut jamais ce qui l'avait frappé. Méthodique-
ment, chacun de ses membres fut dépecé, chaque

36

bout de ses doigts sectionné, et sa tête tranchée avec la hache à double lame.

12

« *Si elle était mienne, je ne la laisserais pas s'en aller* », fredonnait intérieurement Charlie Ferrino en enduisant de crème fraîche une part de gâteau au raisin. Au lieu de cela, il déclara :

— Je n'ai jamais compris comment vous pouviez gagner votre vie en vendant la vieille camelote des autres.

Pat sourit et prit un exemplaire tout neuf du *New York Times* à côté de la caisse du « Choo Choo Charlie's Coffee Shop ». Le compte rendu de la vente aux enchères, en première page, lui sauta aux yeux.

— Charlie, Charlie, répondit-elle, faussement choquée mais le regard pétillant, comme chaque fois qu'elle et le tenancier de la gargotte-épicerie commençaient leur danse du scalp matinale, il ne s'agit pas de vieille camelote. Vous connaissez notre devise : « Dépôt-vente – Originalité et qualité. »

— Alors pourquoi ne l'appelez-vous pas tout simplement : « Magasin d'antiquités » ?

— Parce que nous ne proposons pas uniquement des antiquités. Je vous l'ai déjà expliqué : ce que j'entrepose pour le mettre en vente, meubles, cristal, argent ou quoi que ce soit d'autre, ne m'appartient pas. Je les vends au nom de ceux qui les possèdent. Ils m'apportent leurs objets, je les installe dans le magasin et lorsque quelque chose se vend, le propriétaire et moi nous partageons le prix… Cinquante-cinquante.

Charlie remplit un gobelet en carton de café fumant fraîchement moulu, y versa le contenu d'un sachet rose de sucre en poudre, y ajouta du lait. Il portait, sur son crâne chauve, une casquette de base-ball bleue trop grande qui, au gré de ses mouvements, glissait de gauche à droite.

— Tout cela reste quand même un mystère pour moi, Pat. Je me suis laissé dire que vous ne lésiniez pas sur les prix. Pourquoi quelqu'un accepterait-il de payer très cher des objets de seconde main alors qu'il pourrait s'offrir du neuf pour le même montant ?

La jeune femme répliqua par une grimace. Ils savaient tous les deux que Charlie n'était ignare ni en beaux objets ni en antiquités. Mais il aimait la taquiner. Feignant l'exaspération, elle tira sur ses cheveux.

— Charlie, vous avez de la chance que je vous adore, parce qu'il m'arrive d'avoir envie de vous prendre par le col et de vous secouer comme un prunier.

Charlie glissa avec soin le gâteau, le café et une serviette dans un petit sac de papier marron.

« Cela ne me déplairait pas du tout », songea-t-il en admirant sa silhouette tandis qu'elle s'éloignait.

13

Peter ne savait pas quoi faire.

Allongé sur son lit à une place à Boland Hall, le grand foyer des étudiants de première année de l'université de Seton Hall, les bras croisés derrière la nuque, il contemplait le plafond. Le jour gris et pluvieux qui filtrait à travers la fenêtre aux barreaux de fer assombrissait son humeur. Il se sentait profondément troublé.

Depuis la vente aux enchères de la veille, quelque chose le perturbait. L'Œuf de lune.

Magnifique objet, certes. Le travail de l'émail et l'ensemble des bijoux forçaient l'admiration. Lorsqu'il s'était vendu six millions de dollars, Peter avait entendu, un rang derrière lui, un homme murmurer : « Ça les vaut. »

On aurait pu le penser, effectivement. Sauf que c'était un faux.

Peter en était sûr.

Il se retourna et, fermant les yeux, enfouit sa tête dans l'oreiller. Mon Dieu, que devait-il faire ?

Il ne souhaitait pas en parler à Olga. Elle était trop âgée, avait traversé trop d'épreuves tout au long de son existence. Il ne voulait pas que la vieille dame connaisse d'autres problèmes pour le peu de temps qui lui restait à vivre.

De toute façon, elle lui avait fait jurer de ne rien dire.

Il se souvenait très bien de cet après-midi. Olga lui avait servi du thé et le caviar d'aubergine qu'elle préparait elle-même, comme chaque fois qu'il lui rendait visite. Mais dès qu'il avait pénétré dans l'appartement, ce jour-là, il avait eu l'intuition qu'il se passait quelque chose de différent.

Les yeux d'Olga brillaient lorsqu'ils avaient tous deux pris place dans le petit salon. Olga avait aussitôt évoqué les jours d'autrefois. Elle lui avait parlé de sa famille, depuis longtemps disparue, de son enfance à Saint-Pétersbourg après la prise de pouvoir par les communistes. Elle lui avait aussi décrit la résignation avec laquelle son père avait accepté le naufrage définitif du monde insouciant qui avait été le leur.

Adieu le spacieux appartement qu'ils occupaient à Saint-Pétersbourg et leur charmante *datcha* de campagne. Adieu la cuisine remplie de victuailles avec, à l'office, ses réserves de bon vin et de vodka. Adieu aussi les vêtements de prix, les costumes taillés sur mesure et les manteaux de fourrure accrochés dans le placard du vestibule...

Et puis, lors d'un de ces impitoyables hivers russes, sa mère était morte.

Les larmes aux yeux, Olga avait de nouveau évoqué son père, rongé non par la disparition de son ancien train de vie, mais par l'impossibilité, désormais, d'exercer ses dons. Il n'y avait pas de place, dans la Russie communiste, pour la création « frivole » de beaux objets.

Ensuite, la vieille dame s'était levée et s'était lentement dirigée vers sa chambre.

— Viens avec moi.

Peter la suivit jusqu'à l'armoire. Elle ouvrit la porte, fit un geste de la main. Le jeune homme se mit à

40

genoux, fouilla le fond du meuble. Il sentit, sous une couverture de laine, quelque chose de doux, de pelucheux. Il tira la boîte vers lui, se redressa, remit à Olga le velours jaune qui l'enveloppait.

— Tu me promets de ne jamais rien révéler ? Cet objet, c'est mon père qui l'a fabriqué. Mais il l'a aussi sorti de l'atelier lorsque les communistes sont arrivés.

Peter hocha solennellement la tête.

— Je le jure.

La main d'Olga tremblait lorsqu'elle ouvrit la boîte d'or. Bouche bée, Peter vit apparaître ce qu'elle contenait.

— L'œuf de Pâques impérial. Le tsar l'avait commandé pour l'offrir à la tsarine Alexandra.

Elle tendit la boîte vers Peter qui, avec d'infinies précautions, extirpa l'œuf bleu et blanc de son nid jaune.

Lentement, il le fit tourner dans ses paumes, le souffle coupé, ébahi par sa limpide beauté.

— Ouvre-le.

Il étudia l'œuf, cherchant à découvrir le moyen de l'ouvrir. Déconcerté, il leva les yeux vers Olga.

— Je vais le faire à ta place.

Elle lui prit l'œuf des mains, appuya son doigt sur une perle d'or incrustée dans la décoration. L'œuf s'ouvrit, se scindant en deux.

Une pluie de diamants délicatement assemblés scintillait à l'intérieur.

— Ils symbolisent la comète de Halley. Et elle est apparue en Europe après la chute du tsar. Un signe… Un message de Dieu.

14

Le dépôt-vente ouvrait à dix heures du matin, mais Pat y arrivait toujours une heure plus tôt pour avoir le temps de s'organiser. Une fois qu'elle avait ouvert les portes du magasin aux premiers clients, il ne lui restait généralement pas une minute à elle jusqu'à la fermeture, à dix-huit heures. Pourtant, elle ne parvenait que de justesse à boucler ses fins de mois. Elle n'avait jamais réussi à mettre de l'argent de côté.

Le sac de son petit déjeuner et le *New York Times* à la main, elle se tenait sur le porche de bois de la charmante maison victorienne où elle avait installé son commerce. Quinze ans plus tôt, elle avait consacré toutes ses ressources à l'achat de cette bâtisse délabrée de Westwood, dans le New Jersey. Chaque fois qu'elle contemplait ce qu'elle était devenue une fois restaurée, elle se félicitait d'avoir pris ce risque.

Après la mort d'Allan, elle s'était retrouvée si seule, si désemparée, qu'elle avait cru ne jamais trouver la force de continuer. Elle avait pourtant investi toute son énergie et les revenus d'une petite police d'assurance dans la réfection de la vieille demeure et pour le démarrage de sa propre affaire. A sa grande surprise, elle était venue à bout de toutes ses difficultés. Elle avait eu un coup de cœur pour cette maison. Et cette maison l'avait sauvée. De justesse.

Un autre élément, plus important encore, l'avait aidée à tenir : Peter. L'étudiant d'aujourd'hui n'était, à l'époque, qu'un bambin de quatre ans, qui avait dû affronter la vie, les cruautés de l'enfance puis le difficile passage à l'âge d'homme sans le soutien d'un père. C'était tellement injuste...

D'un œil inquiet, Pat examina la peinture de la façade. L'extérieur de la maison était vert pâle, avec des décorations rococo couleur framboise. Avant de commencer la restauration, la jeune femme avait fait des recherches minutieuses, soucieuse de respecter au plus près les couleurs d'origine. Elle avait ainsi appris avec surprise que les gens, en 1917, adoraient les teintes bizarres.

Elle soupira. La maison avait besoin d'un nouveau coup de pinceau. Cela coûterait cher; d'autant qu'il faudrait repeindre à la main les enjolivures de la façade, aux dessins souvent minuscules et complexes. Les soucis d'argent qui l'avaient accablée tout au long de ces années ne cesseraient-ils donc jamais?

Elle poussa la porte d'entrée aux panneaux vitrés, sachant qui l'attendait de l'autre côté.

— Emily! s'écria-t-elle en s'agenouillant et en caressant le poil fauve du colley. Tu es une bonne fille, une bonne chienne de garde! Je sais que je peux compter sur toi. Viens, Em! Tu vas pouvoir te dégourdir les jambes.

Le berger écossais suivit sa maîtresse jusqu'à la petite cuisine, à l'arrière de la maison, et sortit en courant par la porte qui donnait sur la cour. Sa compagnie d'assurance avait obligé Pat à installer un système d'alarme électrique, mais elle avait toujours eu des problèmes avec cette fichue machinerie. Emily lui apportait une sécurité supplémentaire ; et elle avait le sentiment que ce rôle ne déplaisait pas du tout à la chienne.

Elle revint vers le salon, contempla fièrement son magasin. La couleur prune des murs s'harmonisait avec les objets qu'elle y accrochait : tableaux, gravures, miroirs, bougeoirs, ou de simples cadres, sans toiles, lorsque leur valeur se suffisait à elle-même.

Les miroirs. Il ne lui en restait plus beaucoup. Or, ils se vendaient bien. Elle espéra que quelqu'un, aujourd'hui, en apporterait.

Elle alluma toutes les lampes, à l'étage et au rez-de-chaussée, brassa l'oreiller brodé d'un canapé installé devant la cheminée, redressa une bougie en équilibre instable dans un candélabre, aplatit le coin d'un kilim recouvrant une parcelle du vieux plancher de chêne et qu'Emily avait corné pendant la nuit. Puis, satisfaite de voir tout en ordre, elle regagna la cuisine.

Après avoir déballé son petit déjeuner, elle déplia son journal et relut la une, revivant l'ambiance survoltée de la galerie Churchill's.

« L'ŒUF DE LUNE ATTEINT SIX MILLIONS DE DOLLARS. »

La lecture de l'article lui fit penser à Faye Slater. Quelle coïncidence de la retrouver à la vente aux enchères après toutes ces années... Elles s'étaient connues sur les bancs de l'école primaire et étaient tout de suite devenues inséparables. Ensuite, Faye avait poursuivi ses études secondaires à l'école paroissiale, tandis que Pat était entrée au lycée de Westwood. Et lorsque Faye était partie pour l'université, Pat avait épousé Allan, juste après son bac.

Trop jeune, elle était trop jeune pour se marier : tel avait été l'avis de tout le monde. Peter, aujourd'hui, était plus âgé que sa mère au moment de ses noces. Oui, elle s'était mariée très jeune ; elle l'admettait. Mais elle ne regrettait pas une seconde sa décision, ni les jours trop courts qu'Allan et elle avaient vécus ensemble.

Son amie Faye avait atteint les sommets. Réalisatrice à KEY News ! Quelle vie passionnante elle avait dû mener !

Pourtant, la veille, chez Churchill's, elle ne lui avait pas paru très heureuse. Elle avait fait bonne figure lorsqu'on l'avait présentée à Tim Kavanagh, avait semblé sincèrement ravie de revoir Pat et Peter, témoignant bruyamment sa surprise de constater que le petit garçon qu'elle avait connu s'était mué en un si beau jeune homme. Mais Pat avait perçu, chez elle, un malaise profond.

Elle avait été surprise par sa réponse enthousiaste lorsqu'elle lui avait proposé de venir un de ces jours lui rendre visite au dépôt-vente. Elle avait du mal à imaginer qu'une femme habituée à parcourir le monde et à interviewer les personnalités les plus fascinantes de notre époque pût trouver le moindre intérêt à un magasin comme le sien.

15

Peter s'attarda après son cours de civilisation russe à Fahy Hall. Il voulait parler au professeur Kavanagh.

Il n'avait pas pris sa décision d'un cœur léger. Il avait d'abord pensé faire part à sa mère de ses craintes à propos de l'Œuf de lune. Il lui confiait souvent ses soucis et elle n'était jamais trop occupée pour l'écouter. Mais cette fois, c'était différent. Il ne s'agissait pas, comme jadis, alors qu'il commençait à peine ses études secondaires, d'une mauvaise note en espagnol ou d'une punition infligée pour avoir été surpris à fumer dans les toilettes avec une bande d'élèves. Tout ce qui lui paraissait capital, à l'époque, lui semblait à présent bien dérisoire.

Un faux de six millions de dollars, c'était une autre paire de manches. Et Peter savait que cela les dépassait, sa mère et lui.

D'autant qu'elle avait déjà assez de soucis. Il se rendait compte des difficultés qu'elle avait dû surmonter pour l'élever seule, angoissée en permanence par sa situation financière. Elle essayait de le tenir à l'écart de ses problèmes. Mais, la nuit, alors qu'elle le croyait endormi, il lui arrivait souvent de se glisser sans bruit hors de son lit et de la regarder, assise devant la table de la cuisine, réglant ses factures et épluchant le livre de comptes du dépôt-vente. Sans s'apercevoir de sa présence, elle poussait de gros soupirs en passant les mains dans ses cheveux, les sourcils froncés par l'anxiété.

Cela ne l'empêchait pas, chaque fois qu'il abordait le sujet des finances familiales, de lui répondre avec un grand sourire : « Ne t'inquiète pas, mon ange, tout va pour le mieux. »

Il savait qu'elle ne s'exprimait ainsi que pour conjurer sa propre angoisse.

Non. Il ne lui imposerait pas un secret aussi lourd. Il était un homme, à présent. Il était temps pour lui d'assumer davantage de responsabilités, de rendre la vie plus facile à sa mère. Il agirait, d'une façon ou d'une autre, de sa propre initiative.

Le professeur Kavanagh rangeait ses notes lorsque Peter s'approcha de son pupitre. Il sourit en apercevant le jeune homme.

— Qu'avez-vous pensé du cours d'aujourd'hui, Peter ? Ces Romanov n'étaient pas des tendres, non ?

— Oui, c'était très intéressant, monsieur. Mais je me demandais si vous m'autoriseriez à vous parler de quelque chose d'autre.

Kavanagh le dévisagea d'un air inquiet.

— Votre mère va bien, n'est-ce pas ?

— Oh ! oui. Mais je ne sais pas trop quoi faire à propos de… euh… Enfin, j'aimerais que vous me donniez un conseil.

16

« Passe me voir après la fin des programmes. »

Tandis que Faye lisait, les dents serrées, le courrier électronique de Richard Bullock, son esprit travaillait à toute vitesse.

47

Elle pourrait sans doute dégoter un emploi à *Dateline*. On lui avait appris que NBC avait deux cents réalisateurs sur la brèche pour assurer la diffusion, cinq soirs par semaines, de son magazine d'informations. Mais elle ne voulait pas aller à NBC, ni sur aucune autre chaîne. Elle était attachée à KEY News. Elle s'y sentait chez elle. En dépit de ses problèmes avec Richard, elle ne tenait pas, au point où elle en était arrivée, à se retrouver confrontée à une nouvelle équipe.

Bien sûr, toutes les chaînes avaient des rouages identiques et sa compétence trouverait aisément à s'exercer ailleurs. Retransmission par satellite, enregistrement vidéo, tout cela se faisait de la même façon partout. Et elle pourrait, dans n'importe quelle boîte, utiliser son propre réseau de relations et de sources.

Ce qui la rebutait, c'était de devoir se familiariser avec de nouvelles têtes. A KEY News, elle savait qui appeler au téléphone pour obtenir un service ou un renseignement précis. Elle n'avait aucune envie d'être obligée de mémoriser, au sein d'une autre chaîne, les noms et les fonctions de gens qu'elle ne connaissait pas alors qu'ici, à KEY News, elle aurait pu se diriger les yeux fermés dans le dédale des couloirs et des bureaux. Elle ne se voyait pas recommençant ailleurs, de A à Z.

Pourtant, si rien ne changeait, c'était exactement ce qu'elle serait forcée de faire. Elle savait que Richard voulait sa peau.

17

A cause des étudiants de Seton Hall, sans compter les autres habitants et les commerçants du coin, la salle du fond, chez Bunny, était toujours bondée à l'heure du déjeuner. Situé non loin du campus de South Orange Avenue, ce bar-restaurant attirait tous ceux qui raffolaient des bonnes grosses pizzas au fromage du New Jersey. Les amateurs de boissons sirotaient leur bière au bar, devant le vieux comptoir de bois, tandis que les étudiants s'installaient sur les banquettes du fond.

Peter et le professeur Kavanagh avaient déniché deux places dans un renfoncement de la salle.

— Je crois que vous devriez mettre votre mère dans la confidence, Peter.

Le jeune homme tendit la main vers le plat métallique qui chauffait au centre de la table, découpa une autre part de pizza. Le voyant saupoudrer son morceau d'ail en poudre et de sauce piquante, le professeur constata que ses soucis n'affectaient en rien son appétit.

— Ma mère a assez de problèmes comme ça. D'un autre côté, j'ai promis à Olga de ne mentionner devant personne l'existence de cet œuf.

Peter eut l'air gêné.

— J'ai déjà trahi mon serment en m'adressant à vous.

Le professeur but une gorgée de sa Budweiser glacée. Il était impossible, se dit-il, de garder un tel secret pour eux seuls.

— Peter, nous parlons d'un faux et de millions de dollars.

— Je sais, je sais.

Peter ferma les yeux, appuya sa nuque contre le rebord de la banquette. De la table voisine lui parvenaient des commentaires sur le prochain match des Seton Hall Pirates. Comme il aurait aimé se concentrer sur quelque chose d'aussi anodin que le basket-ball ! Mais le professeur avait raison. Il devait mettre sa mère au courant. Elle déciderait ensuite de la conduite à tenir et de la manière d'avertir Olga.

Tim Kavanagh glissa quelques pièces sous le plat surélevé, à l'intention de la serveuse.

— Écoute. Si tu veux, je viendrai avec toi. Ainsi, nous serons deux pour parler à ta mère. Est-ce que cela te rendra la tâche plus facile ?

Le jeune homme réfléchit à cette proposition. Avoir quelqu'un à ses côtés, quelqu'un sur qui s'appuyer, lui donnerait du courage. Cela aiderait sa mère... Et cela l'aiderait, lui.

— Si je décide de lui en parler, je vous le ferai savoir.

18

La journée avait été bonne. Pat était impatiente de fermer et d'aller se détendre à l'American Woman Health Club, son club de sport. Assise au fond du magasin, Emily recroquevillée à ses pieds, elle achevait de reporter les recettes du jour sur son livre de comptes lorsqu'elle entendit grincer la porte d'entrée. Elle se leva, contourna son bureau puis, voyant de qui il s'agissait, sourit de plaisir.

— Olga ! J'espérais justement votre visite aujourd'hui !

Voûtée et ratatinée, la vieille dame approcha à petits pas. Elle avait l'air fragile, épuisé. Mais le sourire qu'elle lui rendit fit comprendre à Pat que son accueil lui réchauffait le cœur.

En l'aidant à prendre place dans le fauteuil capitonné où elle l'installait toujours, elle nota que son amie paraissait plus mince, plus petite que lorsqu'elle l'avait vue pour la dernière fois, quelques semaines plus tôt, le jour où elle était allée chercher sa broche pour la porter chez Churchill's.

Considérée comme l'une des meilleures salles des ventes de New York, la galerie Churchill's méritait sa réputation. Pat avait eu l'occasion de le vérifier au cours des années précédentes, depuis qu'elle s'occupait de la vente des pièces Fabergé que détenait Olga. Le personnel de l'établissement l'avait impressionnée par son souci du détail. Ses experts examinaient, étudiaient et authentifiaient chaque objet. On pouvait faire confiance à Churchill's pour donner tous les renseignements possibles sur les pièces ou les tableaux que la maison prenait en charge. Voilà pourquoi Pat avait confié sans hésiter la broche de son amie à Clifford Montgomery ; d'autant que ce dernier insistait pour examiner en personne les œuvres de Fabergé avant de les inscrire à son catalogue.

— Une tasse de thé?

Olga accepta avec empressement. Pat gagna la petite cuisine, mit l'eau à bouillir sur la plaque électrique, disposa quelques sablés aux fruits sur une ancienne assiette de Dresde rose et blanche. Elle servit ensuite le thé tel que l'aimait Olga, non dans des tasses, mais dans des verres.

— Délicieux, murmura la vieille dame en réchauffant ses mains froides contre le verre.

Au grand plaisir de Pat, elle croqua plusieurs biscuits.

— Le chèque ne devrait pas tarder.

Olga hocha la tête.

— C'est pour cela que je suis venue.

Elle ouvrit lentement son vieux sac à main de cuir marron et, de ses doigts tremblants, en extirpa un petit livret bleu. Elle le tendit à la jeune femme en murmurant :

— Tu iras le présenter pour moi.

Un instant, Pat se sentit triste. Il était dur de vieillir. Olga devait se sentir bien faible pour lui confier son précieux livret de banque. La vieille Russe avait toujours tenu à s'occuper de son compte sans l'aide de quiconque. La vie lui avait appris à gérer son argent avec parcimonie. Chaque fois que Pat lui avait proposé de se rendre à sa place à la banque de Westwood, elle avait toujours refusé, soucieuse d'effectuer ses dépôts elle-même.

— Entendu, Olga. Je serai ravie de m'en charger. Je déposerai le chèque dès que je l'aurai reçu.

Ensuite, je vous rapporterai votre livret à votre appartement.

— Bien. Une fois de plus, on prend soin de moi.

Puis, mordant délicatement dans un biscuit, la vieille dame changea de sujet.

— Comment va Peter ?

— On ne peut mieux, répondit Pat avec un grand sourire. Ses études le passionnent et, grâce à vous, il s'enthousiasme pour le cours d'histoire russe qu'il a choisi ce semestre.

— C'est un bon garçon.

— Oui, Olga : un bon garçon.

Rien ne rendait Pat plus fière que Peter. Son fils, son enfant unique. Si peu de temps, lui semblait-il, s'était écoulé depuis l'époque où elle le voyait arpenter le trottoir sur son tricycle rouge, en se demandant comment il réussirait à grandir sans son père. Au fil des années, ils s'étaient appuyés l'un sur l'autre. Elle avait travaillé dur pour l'élever seule tout en gérant son magasin. Lui, de son côté, s'était efforcé, pour ne pas donner de souci supplémentaire à sa mère, de briller en classe. A une époque où l'on ne parlait que de drogue et d'alcoolisme chez les jeunes, elle avait appris avec soulagement que sa seule incartade avait été de se faire prendre en train de fumer dans les toilettes du lycée de Westwood. Le directeur l'avait convoquée pour lui faire part de l'incident. Mortifié, humilié et navré, Peter lui avait promis de ne plus recommencer. Elle l'avait cru.

Depuis le début de sa scolarité, il passait toujours au dépôt-vente à la fin de sa journée de classe. Elle se souvenait encore de ce petit garçon aux cheveux roux remontant le trottoir, son cartable dans le dos. Parfois, elle avait l'impression, tant elle l'aimait, que son cœur allait éclater. Lui se jetait dans ses bras, si heureux de la voir. Il se précipitait ensuite dans la cuisine, dévorait son goûter avant de lui raconter sa journée en détail, de lui rapporter les propos de son instituteur, de lui donner les noms des élèves qui avaient été punis ou s'étaient battus dans la cour de récréation. Pour Pat, ces moments passés avec lui dans son magasin justifiaient tout le reste.

Il s'y trouvait lorsque, des années plus tôt, Olga lui avait apporté sa première pièce de Fabergé, un coupe-papier d'argent. Ignorant le principe d'un dépôt-vente, la vieille dame lui avait proposé de l'acheter. Pat lui avait patiemment expliqué qu'elle n'achetait pas les objets, mais les prenait simplement en dépôt pour les vendre à d'autres gens. Après avoir examiné le coupe-papier d'argent, elle avait emprunté à la bibliothèque municipale un livre qui lui avait permis de déchiffrer les lettres en cyrillique gravées sur la lame : « Fabergé ». Elle avait déclaré à Olga que cette pièce possédait une trop grande valeur pour qu'un de ses clients puisse l'acquérir. Elle ne trouverait preneur qu'à New York. Alors, dans son anglais hésitant mais persuasif, la vieille dame l'avait convaincue d'y aller à sa place.

Pat avait d'abord montré le coupe-papier à son fils. Elle lui avait raconté l'histoire de la prestigieuse maison Fabergé et de ses liens avec la tragique dynastie des Romanov. Fasciné, le jeune homme avait, plus tard, choisi la révolution russe comme sujet de sa dissertation de fin de trimestre. Pour compléter ses recherches, il avait décidé d'entrer en contact avec la vieille dame, qui pourrait peut-être lui raconter des anecdotes inédites sur cette période.

Olga s'était prise pour lui d'une affection profonde. Un peu réticente, au début, puis de plus en plus confiante, elle lui avait parlé de sa jeunesse et de la vie au vieux pays. Après avoir remis son devoir, Peter avait continué à rendre visite à la vieille dame une fois par semaine. Elle le complimentait sur son nom. « Pierre le Grand a été le père du peuple russe. Ton nom est fort. Toi aussi, tu seras fort. » Ainsi été née la passion de Peter pour la Russie.

Le livret entre les mains, Pat détourna ses pensées de son fils et revint à son amie. Doucement, elle lui demanda :

— Que ferez-vous une fois que vous aurez dépensé cet argent ?

— Ne t'inquiète pas, répondit Olga d'une voix étonnamment ferme. Il me reste encore quelque chose.

19

— Le couperet est tombé, c'est ça ?

Faye s'assit en face de Richard Bullock. Même si le directeur de la rédaction avait refermé la porte de son bureau, signe qu'il ne voulait pas être dérangé, elle savait que l'entretien serait mené au vu et au su de tout le monde. N'importe qui pouvait assister, à travers la paroi de verre, aux scènes se déroulant dans l'aquarium. La jeune femme chercha à se donner une contenance. Surtout ne pas laisser transparaître, devant Bullock et ses courtisans, plus voraces que des piranhas, la panique qui la paralysait. « Aie l'air sûr de toi, sinon ils flaireront l'odeur du sang. »

Elle s'était encore rendue aux toilettes pour tenter, une dernière fois, d'enlever le café qui maculait son chemisier. Elle n'avait réussi, frottant le tissu de toutes ses forces, qu'à agrandir la tache. Le coup d'œil de Richard sur sa poitrine ne lui échappa pas : ce qu'il prenait pour du laisser-aller ne ferait qu'augmenter ses préventions à son égard. Elle croisa les jambes.

Comme toujours, elle n'avait pu s'empêcher d'attaquer bille en tête. Elle se souvenait pourtant du vieil adage : *Qui parle le premier a déjà perdu.* Mais c'était dans sa nature. Il fallait qu'elle joue d'emblée cartes sur table. La plupart du temps, elle ne le regrettait pas. Cette fois, elle aurait dû s'abstenir, laisser l'initiative à Richard, attendre qu'il aborde lui-même le fond du problème. Au lieu de cela, elle avait baissé sa garde d'entrée de jeu. Elle sentit le soulagement de son supérieur.

— Hier soir, nous sommes passés à côté d'un bon reportage, répondit-il d'une voix pleine de regrets.

— Nous ne sommes passés à côté de rien du tout. Quelqu'un a simplement décidé de ne pas traiter le sujet.

Sous-entendu : Ne t'en prends qu'à toi, Richard.

Il lui lança un regard furieux. Mais quand il reprit la parole, il paraissait plus résigné qu'en colère.

— Tu as raison, Faye. La décision venait de moi. Je me suis trompé. J'en assume l'entière responsabilité.

Elle s'installa plus confortablement, attendant la suite.

Richard se leva, contourna son bureau et prit place près d'elle, sur le sofa de tweed gris. Il se tourna vers elle, de trois quarts, se pencha et contempla ses mains.

— Bon. Je vais être franc.

— Je t'en prie.

— Au cours des trente ans que j'ai passés ici, j'ai appris à me fier à mon instinct. Or, mon instinct me dit de ne pas renouveler ton contrat.

Et voilà. Un coup en pleine poitrine. Elle respira profondément. Plutôt mourir que pleurer. Ses ongles s'enfoncèrent dans sa cuisse.

— Ne devrais-tu pas baser une décision de cette importance sur autre chose que ton instinct ?

Elle crut discerner une lueur d'admiration dans les yeux de Richard. Il eut l'air de réfléchir à la question.

— Tu as raison. Tu as toujours fait un travail solide. Jamais je n'ai pu dire, à propos d'un reportage : « Faye a complètement foiré, tout est de sa faute. » D'un autre côté, tu as toujours manqué d'agressivité. Je ne t'ai jamais vu courir après un coup, traquer l'information. Tu ne saisis pas ton métier à bras le corps. Prenons un exemple : la vente aux enchères de Fabergé.

— Tu charries, protesta-t-elle. C'est moi qui ai insisté pour qu'on développe le sujet.

— Mollement. Tu n'as fait preuve ni d'enthousiasme, ni d'acharnement. Ce reportage, tu aurais pu me le vendre et tu ne l'as pas fait. En fait, j'ai parfois l'impression que tu te sens soulagée de ne pas avoir à te battre.

Là, il dépassait les bornes.

— S'il y a la moindre vérité là-dedans, cria-t-elle, c'est uniquement parce que je sais que rien de ce que je pourrais te proposer ne t'intéressera ! Les dés sont pipés dès le départ !

Richard ouvrit la bouche, comme s'il s'apprêtait à répliquer. Changeant d'avis, il se leva, retourna derrière son bureau.

— Eh bien, admettons qu'il s'agit d'une incompatibilité d'humeur, déclara-t-il d'un ton neutre. A mes yeux, cela suffit. Les journalistes de « A la une ce soir » forment une équipe soudée. Nous devons nous serrer les coudes, nous comprendre à demi-mot.

— Donc...

Elle n'acheva pas. C'était à lui de conclure :

— Ton contrat expire dans six semaines. Il ne sera pas renouvelé. Tu ferais mieux de te mettre à la recherche d'un emploi.

Faye regagna son bureau. Bizarrement, elle se sentait à la fois sonnée et délivrée. Enfin, les choses étaient claires.

Allait-elle commencer tout de suite à passer des coups de fil, à prendre la température auprès de ses contacts dans les autres chaînes ? Que répondrait-elle quand on lui demanderait pourquoi elle quittait KEY News ? Elle pourrait toujours prétendre qu'après avoir travaillé quinze ans dans la même boîte, elle avait besoin, pour ne pas s'encroûter, de changer d'air. Peut-être goberaient-ils ce bobard.

A moins qu'elle ne dise simplement la vérité, avouant qu'elle ne s'entendait pas avec son directeur de rédaction. Dans le métier, ce n'était pas rare. Tous les journalistes de télévision avaient, à un moment ou à un autre, des problèmes relationnels avec un supérieur. Oui, il valait mieux ne rien cacher. N'importe qui, après lui avoir accordé un entretien, s'empresserait de se renseigner auprès de Richard. Pourquoi mentir alors qu'il leur serait si facile d'apprendre la vérité ?

Chercher un nouveau travail. L'horreur. Certains, ravis de se lancer un défi à eux-mêmes, de se prouver leur propre valeur, aimaient ça. Elle les admirait. Pour sa part, elle n'y voyait qu'une humiliation supplémentaire.

Même si elle détestait cette idée, elle ne pouvait s'empêcher de penser, en effet, que Richard n'avait pas tout à fait tort. Peut-être manquait-elle vraiment d'agressivité. Pourquoi n'avait-elle pas insisté davantage pour qu'on passe son sujet sur la vente Fabergé ?

Le couloir était désert. Elle pria pour que son bureau, lui aussi, soit vide. Elle n'aurait voulu pour rien au monde, en cet instant, se retrouver nez à nez avec Dean Cohen.

Pas de chance. Dean enfilait son manteau avant de s'en aller. Si elle était rentrée une minute plus tard, elle l'aurait évité. « N'aie pas l'air accablé », se dit-elle.

— Tout va bien ?

Il paraissait plein de sollicitude. Était-il sincère ? Peut-être. Mais elle ne souhaitait pas engager la conversation avec lui.

— On ne peut mieux, murmura-t-elle.

20

Tout ce sang... C'était à vomir. Les gants d'équarrisseur, le tablier de boucher, les lunettes de protection, le bonnet, tout cela ne servait à rien. Épais, gluant, il s'infiltrait partout.

Comment faisaient-ils, dans les boucheries industrielles ? Peut-être que, l'habitude aidant, cela devenait plus facile. Taillader, scier, se frayer un chemin à travers la peau, les muscles, les tendons, les os...

Et le boucan ! Ça, c'était le pire. Les jointures craquaient, les os se brisaient avec un bruit affreux. Et la scie bourdonnait toujours, monotone, d'avant en arrière, d'avant en arrière...

Morceau par morceau, Misha se retrouva dans les grands sacs poubelle noirs. Le corps fut abandonné dans un terrain vague proche. La tête et les bouts de doigts allèrent au fond de l'Hudson nourrir les poissons. Cela faisait partie du plan.

C'était un travail écœurant et épuisant. Curieux qu'un être humain puisse dormir tout son saoul après une expérience aussi horrible. Un sommeil de plomb : le sommeil des morts et des désespérés.

Quelle connerie ! La hâte de se débarrasser de Misha avait fait oublier le plus important : les croquis étaient restés là-bas, à Little Odessa.

21

Les doigts osseux de Nadine Paradise caressaient l'émail laiteux de la broche qu'elle venait d'acheter à la vente aux enchères de Churchill's. Ses yeux, toujours aussi attentifs après presque quatre-vingts ans, scrutèrent tous les détails de cette œuvre d'art qui avait été conçue pour être portée.

La vie était étrange. En quatre-vingts ans, Nadine avait eu l'occasion de s'en apercevoir. Le fait qu'elle possédait à présent les deux broches le prouvait.

Elle pouvait renoncer à des tas de choses. A celle-là, jamais. L'achat de ce bijou n'était pas un luxe, mais une nécessité.

Nadine soupira, se renversa dans son vieux fauteuil de velours vert, si confortable, laissa son regard s'attarder sur la photographie en noir et blanc dans le cadre d'argent posé près d'elle, sur la table d'acajou. Une jeune ballerine, la tête couverte d'un bonnet de plumes, avait été prise entre ciel et terre, au cours d'une des éblouissantes séries de tourbillons qu'elle effectuait dans *Le Lac des cygnes*. Nadine se remémora avec plaisir le commentaire d'un des plus célèbres critiques de ballet de l'époque. Il avait trouvé sa façon de danser à la fois « ahurissante » et « effrayante ».

L'ancienne première ballerine ferma les yeux. Elle se souvint d'elle et de sa mère inspectant la scène avec soin pour choisir l'endroit exact où Nadine risquerait ces tourbillons d'une difficulté inouïe, qu'on appelait des pirouettes. Elles avaient prié sur l'endroit même. Et Nadine avait été éblouissante.

Sa mère. Son admiratrice la plus farouche et sa critique la plus impitoyable. Quelle existence elle avait menée ! Élever son enfant seule à Paris, après la révolution, luttant bec et ongles pour que sa fillette aux cheveux sombres puisse prendre des cours de danse…

Pendant des années, elle avait accompagné sa fille dans toutes ses tournées à travers le monde. Faisant office d'habilleuse, de blanchisseuse, de cuisinière et de chaperon, elle aimait jouer au poker, croyait aux diseuses de bonne aventure, aux guérisseurs et, par-dessus tout, à Nadine.

« Je ne t'ai pas déçue, maman. » Nadine avait murmuré ces mots à voix haute. Elle avait fait une belle carrière. Se produisant d'abord avec le ballet russe, puis à l'American Ballet Theater pour Balanchine, puis dansant et jouant dans plusieurs films avant d'épouser, ironie du sort, un diplomate qui avait été nommé en poste en Russie, où elle l'avait suivi.

Elle n'avait pu avoir d'enfant. Mais ils avaient adopté un merveilleux enfant russe : Victor, dont elle espérait qu'il serait aussi brillant, adulte, qu'il était beau.

Oui, une belle carrière, et une belle vie. Elle ne savait que trop que cette vie s'achevait. Pourtant, elle se sentit plus fébrile qu'une jeune fille en contemplant les broches. Elle n'avait pas éprouvé une telle émotion depuis longtemps.

Même à son âge, la vie la surprenait encore. Il était merveilleux de constater que les choses, si on les avaient attendues avec assez de patience, finissaient toujours par arriver.

Nadine connaissait bien l'homme à qui avait appartenu cette broche. Il était mort depuis des années. Peut-être que non, après tout? Son père était peut-être toujours vivant.

Non, impossible. Il aurait eu plus de cent ans.

Elle se leva, marcha vers le vieux secrétaire de noyer. Elle ouvrit les portes à panneaux du haut, chercha le bouton sous l'étagère, le poussa. Un petit tiroir dissimulé sur le côté s'ouvrit en glissant. Nadine fouilla à l'intérieur et, avec précaution, en sortit un mince paquet de lettres jaunies et effritées par le temps.

Une fois encore, elle commença à lire les caractères cyrilliques à l'encre presque effacée.

Nadja chérie...

Les jours passent, lents, douloureux, et je me languis de toi, mon amour.

Pourquoi es-tu partie? Comment as-tu pu me quitter?

Et pourtant, je connais la réponse. Saint-Pétersbourg est devenu un enfer et tu as eu raison de t'en aller quand tu en avais l'occasion.

Oh, ma Nadja, comme j'aimerais que nous soyons ensemble. Et comme je prie pour nous soyons réunis un jour.

D'ici là, ma chérie, porte cette broche... Je l'ai dessinée et exécutée moi-même... Une grande lune ronde... d'émail et de saphirs. Chaque mois, à la pleine lune, lève les yeux, contemple le vaste ciel noir et fais un vœu. Espère et prie pour que nous soyons bientôt ensemble de nouveau.

Sache, Nadja, que je serai ici, en Russie... levant aussi les yeux. J'ai une autre broche, sœur de la tienne. Elle aussi représente la lune, mais dans sa phase ascendante. Moi aussi je ferai un vœu.

Entre nous, la lune est nôtre, qu'elle croisse ou décroisse. Et lorsque nous serons réunis, nous joindrons les deux lunes et tu verras apparaître un chef-d'œuvre.

A toi pour l'éternité,

V.

Nadine ôta la broche ronde d'émail et de saphirs qu'elle portait presque tous les jours depuis la mort de Nadja, sa mère. Sur son lit d'agonie, elle avait donné à sa fille cette broche ronde en lui racontant à voix basse l'histoire de son seul amour, le père de Nadine. Elle était morte avant de lui révéler son nom.

Ajustant la lune ronde et le croissant qu'elle venait d'acquérir, Nadine se mit à trembler :

réunies, les deux pièces donnaient effectivement un chef-d'œuvre.

La lune ronde, la pleine lune unie à son croissant... Toutes deux formaient un ovale parfait – un Œuf de lune en miniature.

22

Peut-être devait-elle envisager de changer complètement de métier. Faire frire des hamburgers chez McDonald's, par exemple. Métro, boulot, dodo. Le cerveau au repos.

Debout dans la minuscule cuisine de son appartement de West Side, Faye s'escrimait avec l'ouvre-boîtes.

— Par ici, Walter. Magne-toi, Jane.

Elle posa par terre deux gros bols de céramique, l'un rouge, l'autre bleu. Walter et Jane auraient pu travailler à la télévision : ils ne partageaient pas. Ils exigeaient, et obtenaient, des portions séparées.

Quatre ans d'université, un diplôme obtenu haut la main, quinze ans à KEY News, les sommets d'une carrière de journaliste, de multiples récompenses, des milliers de kilomètres parcourus pour couvrir des événements fascinants, et puis ceci.

« A quoi bon ? » pensa-t-elle en regardant ses trophées qui prenaient la poussière sur les étagères encombrées de livres.

Sa vie privée était vide.

Elle pensa à Rick, se demanda ce qui se serait passé si elle l'avait suivi à Atlanta lorsque CNN l'avait embauché. Ils croyaient, à l'époque, qu'une relation à longue distance serait viable. Ils avaient été bien naïfs.

A présent, Rick était marié avec une autre femme, qui attendait un second bébé. Quant à Faye elle était quasiment certaine de ne jamais avoir d'enfant.

Vendredi soir. Le week-end à venir s'annonçait gris et long. L'esprit de Faye chancelait. La perspective de se lancer à la recherche d'un nouvel emploi la déprimait. Elle refusait également de ressasser les paroles de Rick et, pis encore, de se demander si, en fin de compte, il n'avait pas raison. Il est vrai qu'elle finissait parfois, à la fin, par faire son travail de façon mécanique, sans le moindre entrain.

Ne pas y penser. Remettre tout cela à plus tard. Elle ne voulait pas passer le week-end à se morfondre, à songer aux aléas du futur. Elle aurait pu appeler Robbie. Pour quoi faire? C'était toujours elle qui remontait le moral de son petit frère. Se confier à lui ne servirait pas à grand-chose. Elle se sentirait coupable de s'appuyer sur lui alors qu'il pouvait à peine, c'était du moins son opinion, s'assumer lui-même.

Elle avait envie de s'en aller. Pourquoi ne pas quitter la ville? Un changement de décor. Voilà ce dont elle avait besoin.

Trouver un endroit pas trop éloigné, mais à mille lieues de KEY News.

23

Olga alluma une nouvelle bougie blanche sous l'icône de la Vierge et l'Enfant qui trônait dans le superbe *krasny ugol*, au fond de son tout petit salon. Puis, fermant les yeux, elle pria, ainsi qu'elle le faisait toujours.

— Mère très sainte, pardonnez-nous. Mère très sainte, protégez-nous. Mère très sainte, priez pour nous.

La frêle vieille dame se redressa, lissa l'étole de lin qui enveloppait l'icône au cadre d'or. C'était un tissu blanc sur lequel, bien des années plus tôt, elle avait brodé des oiseaux minuscules, des fleurs et des arbres avec des fils d'un rouge éclatant. Elle était jeune fille, à l'époque, et possédait de bons yeux. Cela se passait bien avant qu'elle ne fuie la Russie ; bien avant qu'elle ne s'installe en Amérique.

Cette broderie faisait partie des rares trésors qu'elle avait pu emmener avec elle. Elle s'en était servi pour envelopper les superbes pièces de Fabergé.

Fabergé... Pat avait obtenu sept mille dollars pour la broche. Cela lui permettrait de tenir un certain temps. De toute façon, il le fallait. La broche partie, il ne lui restait plus qu'un objet signé du grand joaillier.

Elle décida d'aller arroser les bégonias disposés sur le rebord de sa fenêtre. Elle se dirigea jusqu'à l'évier de sa kitchenette, remplit un verre d'eau et abreuva lentement les fleurs. Elle s'occupait de ses plantes avec amour. Ces bégonias, depuis des années, ne lui procuraient que des joies, illuminant les sombres et interminables mois d'hiver.

Olga vivait chichement, frugalement, et cela lui convenait. En fin de compte, elle n'avait jamais connu autre chose. La vie n'était pas tendre ; cela, elle le savait. Pourtant, elle s'estimait privilégiée. Ici, en Amérique, elle était libre et elle n'avait rien à craindre.

Sauf pour le chef-d'œuvre de Fabergé.

24

Pleine d'énergie grâce à sa pratique sportive, Pat venait de déplacer sans mal un secrétaire de noyer vers le centre du magasin, où il accrocherait le regard des visiteurs, lorsqu'un brusque coup de vent froid poussant la porte lui annonça l'entrée de Stacey Spinner. Propriétaire de Spun Gold Interiors, Stacey passait au dépôt-vente au moins une fois par semaine, toujours à l'affût des nouveautés entreposées dans la salle d'exposition.

Pat n'ignorait pas que son affaire était florissante. Saddle River ne se trouvait qu'à quelques kilomètres, mais à des milliers d'années-lumière de Westwood et du dépôt-vente. Spun Gold Interiors s'adressait à des gens disposant de beaucoup trop d'argent et de trop peu de temps. Les clients de Stacey manquaient, la plupart du temps, de la compétence et de la confiance en soi nécessaires pour décorer leurs demeures de plusieurs millions de dollars. Ces deux qualités, Stacey les possédait à leur place. Elle revendait à prix d'or à ces personnes fortunées ce qu'elle achetait au dépôt-vente pour une bouchée de pain, ce qui lui valait des compliments extasiés sur ses « extraordinaires trouvailles ». Pat le savait. A ses yeux, l'affaire de Stacey aurait pu servir de cas de figure à l'étude du capitalisme triomphant. En définitive, peu importait : chacun avait le droit de vivre.

Comme d'habitude, Stacey était superbe. Sans être particulièrement jolie, elle était exceptionnellement bien conservée. Ses cheveux blonds cendrés étaient coiffés et entretenus par le meilleur coiffeur de New York. Il n'y avait pas une faute de goût dans son maquillage et ses ongles avaient toujours l'air manucurés de la veille. (Pat l'avait toujours soupçonnée d'avoir eu recours à la chirurgie esthétique). Ses jeans moulants n'avaient pas un faux pli. Le beige de ses bottes de cowboy en cuir d'autruche s'harmonisait parfaitement avec la couleur de sa veste en peau de mouton.

Pat se recoiffa d'un geste et rectifia le bas de son chandail à col roulé, que le transport du meuble avait fait sortir de son pantalon kaki.

— Bonjour, Stacey. Comment vas-tu ? demanda-t-elle poliment.

— Je n'ai pas à me plaindre, Pat, mes affaires marchent à merveille. Et pour toi, comment ça se passe ?

— Oh, le coup de feu et les grands nettoyages de printemps ne sont pas encore là. Alors, c'est un peu calme. Mais nous avons rentré quelques pièces intéressantes cette semaine. Regarde par toi-même.

Pat nota le coup d'œil de Stacey, qui avait immédiatement repéré un grand vase de Chine entreposé depuis deux jours, décoré de pivoines peintes dans des teintes allant du rose pâle au rose le plus agressif et datant de la fin du XIXe siècle.

— D'où vient-il? demanda Stacey d'une voix dépourvue de tout intérêt.

Pat ne s'y trompa pas. Cet apparent manque d'enthousiasme signifiait que Stacey ne tarderait pas à sortir le superbe étui de cuir contenant son carnet de chèques.

— Une famille des environs a liquidé la succession d'une vieille tante.

Stacey examina l'étiquette où s'inscrivait le prix.

— Quatre cents dollars? Un peu cher, non?

— Il les vaut, Stacey.

La décoratrice traversa le magasin sans plus se soucier du vase. Mais lorsque la porte s'ouvrit de nouveau, laissant entrer un nouveau client, elle revint d'un bond vers son trésor.

— Je le prends.

Tout en rédigeant son chèque, elle dit à Pat:

— N'oublie pas de m'appeler si tu as autre chose d'intéressant provenant de cette succession.

25

La berline BMW flambant neuve freina dans l'allée circulaire entourant l'imposante demeure de style Tudor. Tout en coupant le contact, la conductrice fit le vœu qu'elle prononçait chaque fois qu'elle arrivait chez Nadine Paradise. *Mon Dieu, comme j'aimerais que cette maison m'appartienne.* Mais, à l'inverse des rêves de la plupart des gens, Stacey Spinner ne doutait pas une seconde que le sien avait une bonne chance de se réaliser.

Après son passage au dépôt-vente, elle était rentrée chez elle pour se changer et s'était rendue directement à la splendide vieille maison.

Elle extirpa de la voiture ses jambes revêtues d'un jodhpur, enfonça ses bottines de cheval luisantes dans le gravier de l'allée. Ces jambes n'avaient jamais eu le moindre contact avec un cheval, mais cette allure équestre était destinée à prouver que la décoratrice s'habillait en toutes circonstances avec une élégance de bon ton. Tout ce que faisait Stacey était soigneusement étudié.

Elle saisit prudemment le vase chinois posé sur le siège arrière puis, le serrant contre elle, monta l'escalier de pierre menant à la lourde porte à deux battants. Nadine Paradise répondit en personne au coup de sonnette.

— Madame Paradise ! Comme toujours, c'est un vrai plaisir de vous voir. Vous avez l'air dans une telle forme !

Stacey remarqua la broche accrochée à la robe de cachemire gris foncé de Nadine.

— Quel bijou magnifique !

Nadine leva ses bras minces et, du bout des doigts, frôla délicatement la broche. Le croissant d'émail et de saphirs scintillait contre la douce laine sombre.

— Merci, Stacey. Vous n'entrez pas ?

Stacey traversa le spacieux vestibule en prenant soin, dans cet environnement élégant, de paraître nonchalante. Ses bottes claquèrent sur le sol de marbre tandis qu'elle se regardait furtivement dans le grand miroir au cadre doré accroché contre la paroi d'acajou. Pendant quelques secondes, elle s'imagina dans le rôle de la maîtresse de maison rentrant d'une tournée chez les antiquaires.

— J'étais impatiente de le voir, déclara Nadine en essayant de prendre le vase de porcelaine des bras de Stacey. Même si je ne devrais vraiment rien acheter du tout.

— Il est très lourd, madame Paradise. Laissez-moi l'installer sur la table de la serre pour que vous puissiez l'admirer à votre aise. Je suis certaine que si vous y mettez vos orchidées, vous le trouverez encore plus beau.

Alors que, sur le chemin de la serre, les deux femmes foulaient de superbes vieux tapis d'Orient, Nadine complimenta sa décoratrice.

— Stacey, je sais pourquoi vous réussissez si bien. Vous donnez à vos clients l'impression d'aimer leur maison et de vous en soucier autant qu'eux-mêmes.

Pas leur maison, madame Paradise. La seule que j'aime vraiment, c'est la vôtre.

26

Jackie Kennedy avait rehaussé d'un coup le prestige de Sotheby's, la Princesse Diana avait fait de même avec Christie's. Grâce à Dieu, pensa Clifford Montgomery avec une joie mêlée d'un immense soulagement, le destin romanesque de la maison Fabergé venait de procurer un second souffle à Churchill's. Il parcourut les cours de la Bourse de New York dans le *Wall Street Journal*. L'action de Churchill's avait gagné trois points depuis l'annonce de la vente.

Et ce qui était bon pour Churchill's, dont il possédait cent mille actions, l'était pour son président, se dit-il en s'alanguissant dans son fauteuil de cuir rouge. Pour lui, chaque quart de point représentait vingt-cinq mille dollars. Une hausse d'un point lui en rapportait cent mille. Si les cours grimpaient de dix points, Clifford serait plus riche d'un million de dollars – du moins sur le papier.

Le retentissement de la vente de l'Œuf de lune avait donné un coup de fouet à ses affaires. Même si les professionnels de Wall Street estimaient le bénéfice net par action trop élevé, le public ne s'en inquiétait pas. Le marché obéissait souvent à des critères subjectifs et l'histoire de l'Œuf de lune avait enflammé l'imagination des investisseurs. Si l'action continuait à monter, Clifford deviendrait bientôt un homme très riche.

Il frissonna légèrement en se souvenant de la consternation de la direction de Churchill's le jour où on avait appris que Caroline et John avaient fini par choisir Sotheby's pour mettre en vente les objets de leur mère. Cette consternation s'était muée en fureur lorsque cette vente, qui avait rapporté plus de trente-quatre millions de dollars – bien plus que les estimations les plus optimistes de Sotheby's – était devenue l'événement médiatique de la décennie.

L'année suivante, la princesse Diana avait confié à Christie's la vente de soixante-dix-sept de ses robes au profit de la lutte contre le cancer et le sida. Résultat : trois millions deux cent cinquante mille dollars et une publicité en or pour Christie's.

Évoquant cette sinistre période, Clifford caressa sa barbe noire. Pour couronner le tout, ces ventes avaient eu sur Churchill's un effet désastreux. Les rupins qui tenaient à dépenser leur argent ou désiraient se délester de trésors en leur possession s'adressaient à Sotheby's ou Christie's, pas à Churchill's. Ils aimaient l'idée que leurs objets seraient vendus par des gens qui paraissaient assez chics pour une princesse anglaise et une reine américaine.

C'était un cercle vicieux. Les pièces de premier choix affluaient dans ces deux maisons, ce qui, attirant un plus grand nombre d'enchérisseurs, faisait monter les prix et leur assurait encore davantage de publicité. Churchill's coulait. Clifford se voyait sur le point de perdre son poste. Seul afro-américain à avoir accédé à la présidence d'une salle des ventes de premier plan, il savait que chacun de ses gestes était observé à la loupe. Il ne pouvait pas se permettre d'échouer.

Alors s'était produit le miracle : par un hasard inouï, Churchill's avait découvert l'Œuf de lune. Clifford s'était jeté sur l'occasion et avait augmenté son impact en faisant coïncider la vente avec l'exposition « Trésors de la Russie des Romanov » du Metropolitan Museum of Art, prévue depuis longtemps. Après avoir contemplé ces merveilles au Met, ceux qui avaient le désir et les moyens pourraient aller acheter, juste à côté, des souvenirs de l'histoire et de la culture russes. Pour prolonger cet engouement, Churchill's centrerait ses ventes sur des thèmes russes tout au long du mois.

Un coup frappé à la porte interrompit la rêverie de Clifford. Meryl Quan entra, tenant, comme toujours, son bloc-notes à la main. Agée d'à peine vingt-quatre ans, elle avait obtenu à l'université Vanderbilt un diplôme d'histoire de l'art avant de prendre l'avion pour Londres, où elle avait effectué un stage chez Sotheby's, à la maison mère. Pendant neuf mois, elle s'était immergée dans l'étude de la peinture et des arts décoratifs. De retour à New York, elle avait trouvé son premier emploi rémunéré chez Churchill's.

Elle avait commencé au bas de l'échelle, répondant au téléphone, acceptant sans rechigner toutes les tâches qu'on lui proposait. Sa vivacité d'esprit et son attitude positive avaient impressionné tous ceux qui avaient eu affaire à elle. Aussi, lorsqu'on avait eu besoin d'une nouvelle assistante, l'unanimité, en dépit de son jeune âge, s'était faite sur son nom.

Clifford admira ses cheveux noirs, qui luisaient sous le soleil filtrant par la fenêtre du bureau surplombant Madison Avenue, ses grands yeux sombres en amande. Elle avait la peau claire, lisse, un nez droit, des dents éclatantes et régulières dans une bouche au dessin délicat. En outre, elle était intelligente.

Mon Dieu, je ne serais pas surpris si, un jour, elle prenait ma place.

— Nadine Paradise a appelé, monsieur. Elle souhaiterait de plus amples renseignements sur la broche qu'elle a achetée à la vente Fabergé.

Meryl, elle aussi, était avide d'apprendre, de la bouche de Clifford Montgomery, des détails sur cette vente. Il l'écouta d'un air distrait, un sourire de satisfaction sur le visage, tout en reprenant sa lecture du *Wall Street Journal*.

— Il s'agissait du croissant d'émail et de saphirs, n'est-ce pas?

Meryl hocha la tête. Clifford était un véritable catalogue ambulant. Il se souvenait des acheteurs et vendeurs des pièces innombrables qui étaient passées par Churchill's. La jeune fille ne cessait de s'en émerveiller. Ceci étant, Nadine Paradise était une très bonne cliente. Non seulement elle achetait chez eux depuis des années, mais cette danseuse de légende avait un nom prestigieux. Chez Churchill's, on aimait voir la galerie remplie de célébrités.

— Que désire-t-elle savoir? murmura-t-il, fermant à regret son journal.

Meryl observait Clifford depuis plusieurs mois. Elle se demandait si son patron n'aurait pas été plus heureux de travailler à Wall Street plutôt que de diriger une salle des ventes de premier plan. Il lisait tous les jours les pages économiques du *Times*, sans compter *Baron* et le *Wall Street Journal*, regardait CNBC sur le petit poste de télévision installé dans son bureau. Elle ne l'avait jamais vu aussi excité que le jour où un journaliste de CNBC était venu l'interroger sur la concurrence effrénée entre Sotheby's, Christie's et Churchill's.

— Elle voudrait savoir qui a engagé la broche.

— Pat Devereaux nous l'a apportée, n'est-ce pas?

Une fois de plus, Meryl, qui avait consulté le rapport de vente quelques instants auparavant, admira l'infaillible mémoire de Clifford.

— Oui, répondit-elle. Mais, apparemment, Mme Devereaux agissait pour le compte d'une tierce personne, qui tient à garder l'anonymat.

— Avez-vous dit cela à Mme Paradise?

Meryl secoua la tête.

— J'ai pensé que vous tiendriez à le lui expliquer en personne. D'autant que la vente de ses propres pièces aura lieu dans trois semaines.

— Vous avez tout à fait raison, Meryl. Il nous faut persuader Mme Paradise qu'elle est pour nous une personne de la plus haute importance. Je l'appellerai moi-même.

27

Misha était parti. Et comme dans les films d'horreur, ce n'était pas beau à voir. Du sang maculait presque toute la surface du petit appartement. L'agent spécial Jack McCord n'avait plus qu'à constater les dégâts.

Maintenant, il était trop tard. Les gars du labo pourraient tout passer au peigne fin, ils ne trouveraient rien. Jack le savait. Il pourrait montrer à ce crétin de Quick pourquoi il aurait dû autoriser la mise en place d'une équipe de surveillance permanente. Et il jubilerait en enfonçant le clou.

Il examina l'établi. Semblables à des instruments chirurgicaux, les outils du bijoutier étaient méticuleusement rangés au-dessus de sa table de travail. Après avoir enfilé ses gants de caoutchouc, Jack étudia un outil qui ressemblait à un scalpel. Au moment où il se tournait, l'objet lui échappa des mains, heurta le sol de linoléum et glissa sous l'établi. Jack se baissa pour le récupérer et, en se redressant, se cogna la tête contre la table. « Ça aurait pu me faire plus mal », pensa-t-il.

Passant sa main sous la table, il tomba sur un paquet enveloppé dans du plastique et collé contre le bois. Il le décolla rapidement en faisant attention à ne pas l'abîmer et le fourra dans la poche de sa veste.

28

Le coup de téléphone lui annonçant que Faye souhaitait lui vendre visite surprit Pat. Depuis leur rencontre chez Churchill's, elles n'avaient pas repris contact.

Elle raccrocha d'un air songeur. La dernière fois qu'elle avait vu Faye, Peter était encore un bébé. On approchait de Noël. Faye, son ancienne camarade de classe, avait apporté à Peter une petite panoplie de père Noël à laquelle rien ne manquait, pas même le bonnet pointu.

Ils en avaient revêtu l'enfant et avaient beaucoup ri, d'accord sur un point : Peter était sans doute le plus adorable bambin du monde.

Ensuite, les choses avaient été moins commodes et leurs existences avaient pris des orientations différentes. Pat sentait que Faye la trouvait stupide de s'être mariée et d'avoir eu un enfant si jeune ; les potins de Faye sur son lycée ennuyaient Pat et les bavardages de la jeune mère sur les dents du nourrisson faisaient bâiller Faye. A la fin de l'après-midi, les deux jeunes femmes se sentaient mal à l'aise et crispées.

Ni l'une ni l'autre n'avaient cherché à se revoir.

« Quelle bêtise ! » se dit Pat. Mais sa vie avait été si accaparante... Et les années avaient passé.

Après la mort d'Allan, elle avait appris que les Slater avaient vendu leur maison de O'Toole Street et étaient partis s'installer à Sarasota, en Floride. Faye, en avait-elle conclu, n'avait plus beaucoup de raisons de revenir à Westwood.

Elle se souvenait de sa vieille amie de temps en temps, se demandait ce qu'elle devenait. Quant à Faye, qu'aurait-elle pensé de l'existence routinière que menait Pat dans une petite ville, sans commune mesure avec la vie passionnante d'une journaliste de KEY News ?

29

Samedi

Faye ne se souvenait pas de la dernière fois où elle avait pris le bus, surtout pour Westwood. Depuis le départ de ses parents pour la Floride, elle n'avait aucune raison de retourner dans sa ville natale. Elle avait perdu toute trace de ses anciennes camarades d'école et de lycée. Elle en rencontrait certaines par hasard, dans des cocktails ou des dîners. Mais les choses s'arrêtaient là. Faye n'avait qu'un centre d'intérêt dans la vie : son travail. Grosse erreur. Car lorsque le travail ne va plus, on n'a plus grand-chose à quoi se raccrocher.

Son envie d'aller rendre visite à Pat la surprenait. Bien sûr, elles avaient été des amies intimes, inséparables. Elles quittaient ensemble leur école catholique après la classe, en uniforme, supportant stoïquement les quolibets des enfants fréquentant l'école communale sur leur blazer et leur jupe écossaise, étaient membres de la même troupe de guides, n'allaient jamais au cinéma l'une sans l'autre. Tout cela avait laissé des traces. Faye avait encore en tête le numéro de téléphone des parents de Pat.

Le lycée, ensuite, les avait séparées. Ses parents avaient envoyé Faye dans un établissement privé, dans la ville voisine. Ceux de Pat, qui avait pourtant réussi l'examen d'entrée, n'avaient plus les moyens de lui offrir ce luxe. Elle s'était donc retrouvée au lycée public de Westwood.

Elles avaient quand même continué à se voir de temps en temps. Mais l'une et l'autre se firent de nouveaux amis. Faye, qui s'était découvert une vocation pour le journalisme, consacrait tout son temps libre à *Halcyon*, un journal créé par des élèves. Quant à Pat, elle n'avait pas tardé à rencontrer le beau Allan Devereaux.

Faye avait été outrée d'apprendre que son amie n'irait pas à l'université.

— Quel gâchis ! avait-elle dit à sa mère.

— Tout le monde n'est pas fait pour les études supérieures, Faye.

— Mais Pat, oui ! Elle était la plus brillante de nous tous, du moins à mes yeux. Je n'arrive pas à croire qu'elle ait décidé de renoncer. J'ai entendu dire qu'elle allait épouser Allan Devereaux. Comment peut-elle ainsi gâcher sa vie ?

Le bus rouge et beige s'arrêta en face du dépôt-vente, devant le jardin public dont on apercevait, au loin, le kiosque orné de guirlandes aux couleurs des États-Unis. Image typique d'une petite ville américaine. « Après tout, Pat n'a peut-être pas fait un si mauvais choix », pensa Faye.

30

Si Nadine avait été le genre de personne à renoncer facilement, jamais elle n'aurait accompli ce qu'elle avait mené à bien au cours de sa longue et riche existence. Si Clifford Montgomery ne pou-

81

vait, ou ne voulait pas lui révéler la provenance de la broche, elle essaierait une autre piste.

— Victor ! appela-t-elle.

Son fils adoptif apparut à l'entrée de la serre, dans l'encadrement de la porte, en short et polo blanc, une raquette de tennis à la main. Victor partait passer une autre matinée à son club.

— Oui, mère ?

— S'il te plaît, assieds-toi cinq minutes, mon chéri.

Victor s'exécuta. Mais Nadine savait qu'il pensait surtout à ne pas arriver en retard à son match. Il s'assit sur le coin de la chaise, gratta les cordes de sa raquette. Sa partenaire, Stacey Spinner, l'attendait. Nadine l'ignorait et Victor ne tenait pas à ce qu'elle le sache. Elle n'avait pas à être au courant de tout, non ?

— Victor, j'ai besoin que tu me rendes un service. Je veux savoir d'où venait la broche que j'ai achetée avec toi à la vente aux enchères. Clifford Montgomery, de chez Churchill's, m'a répondu qu'il ne pouvait rien me dire : le vendeur tient à rester anonyme.

— Que veux-tu que je fasse ?

— Il m'a donné le nom de l'intermédiaire. C'est une femme, qui posséderait une sorte de magasin d'antiquités à Westwood. J'aimerais que tu ailles la voir et que tu réussisses à découvrir pour le compte de qui elle a vendu la broche.

Nadine voyait bien que sa mission n'enchantait pas Victor. Il avait horreur de se sentir impliqué, surtout par elle. Elle se disait, sans trop y croire, que ce n'était pas par paresse, mais par manque de confiance en soi. Il était plus sûr pour lui de ne rien tenter. Mais elle ne lui demandait pas la lune. Une commerçante de Westwood n'avait rien d'une ogresse. Pas même pour Victor.

— Comment s'appelle-t-elle ? murmura-t-il avec un gros soupir.

— Patricia Devereaux. Je te serais reconnaissante d'aller lui parler aujourd'hui même.

31

En pénétrant dans le vestibule du dépôt-vente, puis dans le magasin, Faye fut frappé par son aspect accueillant. Pat avait un réel talent pour disposer les articles de façon à les mettre en valeur. N'importe quel visiteur ne pouvait qu'avoir l'œil attiré par les merveilleux trésors qui l'attendaient.

Faye aperçut Pat au fond du magasin, parlant à un client. La jeune femme la vit au même moment et lui fit signe de la main.

— Faye ! Je suis si heureuse que tu sois là. Je suis à toi tout de suite.

Faye déboutonna son caban de marin, le suspendit au portemanteau de chêne placé à l'entrée du magasin. Ajustant son pull vert au-dessus de son pantalon de velours beige, elle se mit à flâner entre les luisantes tables d'acajou recouvertes d'objets en argent, de coupes et de verres de cristal disposés avec goût. Des coussins brodés ornaient un canapé victorien de velours vert, une nappe de dentelle soulignait la couleur cerise d'une table de jeu aux pieds en forme de griffes. Au-dessus de la cheminée, un miroir chinois chippendale au cadre doré reflétait la flammes de bougies allumées.

Faye pensa à son vieil appartement, qu'elle avait complètement négligé. La plupart de ses livres, qui ne trouvaient pas leur place sur ses étagères encombrées d'un incroyable bric-à-brac, croupissaient toujours dans des cartons de déménagement. Son sofa lui venait de ses parents, qui le lui avaient laissé avant de partir pour la Floride. Elle ne l'aimait pas particulièrement mais n'avait pas le courage de le changer. Même chose pour la table et les chaises de son coin salle à manger. Quant à la décoration sommaire des murs, elle n'y faisait même plus attention. Le tableau d'affichage où elle épinglait ses aide-mémoire et des coupures de presse relatives aux meilleurs sujets qu'elle avait traités, aurait été plus à sa place dans son bureau de KEY ou une chambre d'étudiant que dans le salon d'une femme vivant à Manhattan et qui – elle détestait cette idée – approchait de la quarantaine.

Pat avait terminé sa conversation avec son client. Bras ouverts, elle s'avança vers son amie, la serra contre elle.

— C'est si bon de te voir, dit-elle avec chaleur.

— Quel endroit superbe ! répondit Faye en désignant d'un grand geste l'ensemble du magasin. J'en reste baba.

Pat éclata de rire.

84

— Je suis ravie qu'il te plaise. Je dois admettre que ta venue me rendait un peu nerveuse. Je me demandais ce que tu allais penser de ma modeste boutique. Elle doit te paraître bien étriquée.

— Chérie, tu ne sais pas à quel point tu te trompes.

32

Peter regardait Charlie préparer trois sandwichs à la dinde.

— Un max de mayo sur le mien, Charlie.

— Pourquoi trois sandwichs aujourd'hui, Peter ? demanda Charlie en découpant en rondelles une tomate pâlichonne.

— Ma mère reçoit la visite d'une vieille copine.

— Ah oui ? Qui ?

— Une femme qui était en classe avec elle il y a un million d'années. Elle a l'air sympa. Elle est journaliste à KEY News.

Charlie hocha la tête, coupa les sandwichs en deux et les enveloppa dans du papier blanc.

— Frites ?

— Des tonnes. Plus un Coca et deux cafés.

L'épicier glissa le tout dans un grand sac marron.

— Tu sais, Peter, t'es un bon gars. Venir ici tous les samedis pour aider ta mère... Je ne connais pas beaucoup de jeunes qui feraient ça.

Peter y réfléchit une minute.

— Ouais, c'est possible. Mais ma mère et moi, il y a longtemps qu'on n'est que tous les deux. Et elle a été une mère extra. Elle a vraiment passé sa vie à s'occuper de moi. Le moins que je puisse faire, c'est de l'aider chaque fois que je peux.

— Sûr. Mais j'espère que tu te marres un peu quand même. Ce sont tes meilleures années, Peter. Tu devrais commencer à voler de tes propres ailes. Je ne pense pas que ta mère s'attende à ce que tu passes tout ton temps libre avec elle. Par exemple, qu'est-ce que tu fais ce soir ?

Peter parut embarrassé.

— Je dîne avec son amie.

Charlie secoua la tête.

— C'est bien ce que je disais.

— Ça risque de pas être mal. En fait, ça me botte assez. Faye a l'air vraiment chouette et elle a un boulot d'enfer. En plus, elle doit avoir des tas de choses à raconter. De toute façon, après, je rentre à Seton Hall pour une fiesta.

— Parfait. J'aime mieux ça. Un type comme toi doit pouvoir s'éclater tant qu'il n'a pas encore de grosses responsabilités. Il faut que tu vives un peu, fiston. Ne dis pas à ta mère que je t'ai raconté ça. Elle ne serait pas très heureuse d'apprendre que je suis partisan d'une bonne cuite de temps en temps.

Alors que Peter sortait ses dollars pour payer, Charlie posa la question qui le tarabustait.

— Comment ça se fait que tu dînes seul avec la copine de ta mère ? Et elle, alors ?

— Oh, maman a un rendez-vous. C'était pas prévu.

Charlie sentit son cœur se serrer.

33

— Je suis vraiment navrée, monsieur Paradise, mais je ne peux rien vous dire. La personne qui a vendu la broche refuse qu'on révèle
son identité.

Pat avait pris bien soin de ne même pas révéler
le sexe de la personne en question.

L'homme qui se tenait devant elle semblait terriblement mal à l'aise. Il se dandinait d'un pied sur
l'autre et avait déjà laissé tomber deux fois les clés
de sa voiture sur le tapis du coin bureau situé au
fond du magasin. Stacey Spinner l'accompagnait.
Elle avait justifié sa présence par sa qualité de
décoratrice de Nadine Paradise.

— Tu sais, Pat, Nadine a été une des ballerines
les plus célèbres du monde.

— Bien sûr, Stacey. Même moi, perdue au
fond de mon trou, j'ai entendu parler de Nadine
Paradise.

Ne cherche pas trop à m'impressionner, Stacey,
se disait-elle.

— Ma mère a acheté cette broche, insista
l'homme. Elle n'a pas lésiné sur le prix. Elle a vraiment envie de connaître sa provenance.

— Allons, Pat, je me porte garante de Victor.

Stacey mêla ses doigts aux siens et lui lança un
regard langoureux. Ainsi, c'était ça, pensa Pat.
Stacey jetait son bonnet par-dessus les moulins
avec ce malabar. Chacun ses goûts.

La caution de Stacey ne représentait pas grand-
chose à ses yeux. Et la façon dont la décoratrice

maternait ce type avait quelque chose de pitoyable. En plus, il adorait ça. Lavette.

Elle sourit tristement en haussant les épaules.

— Je souhaiterais pouvoir vous aider. Mais la personne tient à son anonymat Je ne peux que respecter son désir.

Le sous-entendu était clair : « Monsieur Paradise, vous devez le respecter aussi. »

Mais l'homme n'abandonnait pas facilement.

— Vous ne pouvez vraiment rien faire ? Ma mère va être tellement déçue...

Pat resta ferme.

— Je suis navrée.

Tout en admirant une table de fer forgé, Faye n'avait pas perdu un mot de l'entretien. Lorsque le couple, excédé, quitta le magasin, elle regarda Pat d'un air interrogateur.

— C'était qui, ces deux-là ?

— Je ne sais pas grand-chose de lui, à part qu'il est le fils de Nadine Paradise. A le voir, c'est d'ailleurs son seul titre de gloire.

— Et elle ?

Pat eut une moue de dégoût.

— Stacey Spinner. Décoratrice d'intérieur à Saddle River. Elle en rajoute un peu trop à mon goût. Elle oublie que je me souviens de ce qu'elle faisait il y a des années. Nous nous sommes rencontrées à un cours du soir à la galerie Churchill's. A l'époque, elle était vendeuse dans un grand magasin. Mais assez futée pour réaliser qu'il y avait dehors un vaste monde où elle était bien décidée à faire son trou.

88

Pat se tut un instant avant de poursuivre :

— Il faut quand même lui reconnaître un certain mérite. Elle a vraiment monté une affaire florissante et, d'après ce que j'ai pu voir et entendre, elle a du flair. Elle savait ce qu'elle voulait et elle l'a eu. Ça, j'admire.

34

Olga souleva avec effort le lourd carton de sels de bain et le posa dans son caddie. Ce serait bon, plus tard, de verser les sels dans sa vieille baignoire remplie d'eau chaude et de se laisser aller dans le bain. Son arthrite lui faisait vraiment mal, aujourd'hui.

Lentement, elle termina ses courses dans les allées du grand magasin. Un boîte de kleenex, de la lessive, un paquet de caramels. Elle se dirigea ensuite vers la caisse, à l'entrée du magasin.

Elle fit sagement la queue, attendant son tour. Elle regarda un enfant qui pleurait pour que sa mère lui offre un Milky Way. La jeune femme céda.

Olga se détourna de cet enfant gâté et de sa mère si faible.

C'est alors qu'elle l'aperçut. Exposé bien en évidence sur le comptoir à journaux, pour que le monde entier le voie.

L'Œuf de lune, trônant sur la couverture d'un magazine américain.

L'adolescente assise devant sa caisse vit la vieille dame pointer son doigt en direction des périodiques, puis s'écrouler sur le sol, devant les autres clients sidérés. Un homme à l'air solide se pencha sur la femme évanouie, lui tapota les mains, lui parla.

La vieille dame aux cheveux blancs resta quelques instants sans connaissance. Elle revint enfin à elle et murmura :

— *Ma ijtso, ma ijtso.*

— Qu'est-ce qu'elle dit ? demanda une femme qui parvenait à grand-peine à maîtriser son enfant de quatre ans.

— J'espère qu'elle ne s'est pas cassé le col du fémur, s'écria une autre cliente.

— *Ma ijtso.*

Olga ouvrit les yeux, lança autour d'elle des regards effrayés.

— Tout va bien, lui dit l'homme penché sur elle. Ne vous inquiétez pas. Vous avez simplement eu un malaise.

Olga se releva avec peine, s'appuya sur le bras de l'homme pour se maintenir en équilibre.

— Merci, monsieur. Merci.

— Y a-t-il quelqu'un, un proche que je puisse prévenir ? demanda-t-il.

— Non. Personne. J'irai tout à fait bien dans un petit moment.

— Vous habitez loin d'ici ?

— Quelques pâtés de maison.

— Vous ne pouvez pas rentrer toute seule. Laissez-moi vous raccompagner.

35

Avant de fermer boutique, Charlie remplit trois boîtes en plastique de jambon, de salade de pommes de terre, de betteraves au vinaigre et de gâteau de riz, glissa le tout dans un sac en papier, ajouta deux petits pains.

Il éteignit les lumières de la devanture et regarda le ciel. Il resta là, sur le trottoir, sans le moindre projet pour la soirée. Peut-être s'arrête-rait-il en chemin pour louer une cassette vidéo.

Tout en marchant dans la nuit fraîche vers le rez-de-jardin, il se rendit compte à quel point le fait que Pat ait un rendez-vous le soir même le perturbait. Un rendez-vous, mais pas avec lui. Il passerait la soirée chez lui, devant la télévision, et elle sortirait avec un autre homme.

En fait, tout était de sa faute. Il n'avait jamais eu le courage de lui proposer de dîner ou d'aller voir un film en sa compagnie. Il y avait des années qu'il la contemplait, l'admirait, rêvait d'elle. Mais il n'agissait pas, ne faisait rien pour que ses rêves se réalisent.

Et il se retrouvait tout seul, ce pauvre vieux Charlie, apportant de quoi manger, en ce samedi soir, à la vieille dame.

Il frappa à la porte de l'appartement d'Olga et attendit. Il entendit bientôt le bruit ténu de son pas.

— Qui est là ?

— C'est Charlie, Olga.

Elle déverrouilla la porte, qui s'ouvrit lentement, sourit à Charlie et à son sac rempli de victuailles.

— Ah, Charlie. Je ne t'attendais pas ce soir. Tu es si gentil de ne pas oublier Olga.

En lui tendant le paquet, il jeta, par-dessus sa tête, un coup d'œil dans l'appartement. Avant qu'Olga ne ferme la porte, il aperçut quelque chose qui scintillait sur la table, derrière elle.

36

Debout devant son antique lit de cuivre, Pat admit qu'elle consacrait trop de temps à choisir ce qu'elle allait mettre.

Six robes s'étalaient sur le dessus-de-lit à fleurs et cinq paires de chaussures s'alignaient sur le parquet.

« Ce n'est qu'un dîner, rien d'autre. Pourquoi t'en faire ? »

Lorsque Tim Kavanagh l'avait appelée pour l'inviter, elle n'avait hésité qu'un instant avant d'accepter. Elle s'était surprise elle-même à attendre ce soir-là tout au long de la semaine. La plupart du temps, les rendez-vous de ce genre lui faisaient peur.

Non qu'il y en ait eu vraiment beaucoup. Elle savait qu'elle n'envoyait pas les signes d'usage, disant : « Disponible », ou « A conquérir ». En fait, elle n'avait aucune envie de s'impliquer. C'était plus simple ainsi. Plus simple et plus sûr.

Mais cette fois, c'était différent. Pat se moqua d'elle-même. « Idiote ! Qu'est-ce qui te fait croire que tu peux te passer du désir tout naturel d'une relation avec une personne de sexe opposé ?

Reconnais que cela te manque depuis longtemps. Trop longtemps. »

Elle réduisit son choix à une robe longue de laine noire ou une robe de cocktail de velours bleu. La noire allait avec tout. Elle pourrait la porter avec ses boucles d'oreille de perles et son collier.

Mais la bleue était plus sensuelle et, pour parler franc, plus sexy. Elle mettait en valeur sa silhouette affinée par le sport. Lorsqu'elle la portait, elle se sentait mille fois plus féminine.

Va pour la bleue. Elle mit ses boucles d'oreille en faux diamants mais renonça au collier, laissant son décolleté à nu. Elle enfila des hauts talons de daim dont le noir s'harmonisait avec la couleur de ses bas. En se contemplant dans le grand miroir en pied, elle se sentit en confiance.

Faye et Peter poussèrent des exclamations quand elle quitta sa chambre.

— Quelle silhouette, Pat! s'écria Faye. Tu es superbe! Tu me donnes envie de me mettre tout de suite à la gym.

— Ça suffit, vous deux. Merci de complimenter une mère de famille nerveuse qui se rend à rendez-vous pour la première fois depuis une éternité. Faye, tu es sûre que tout ira bien?

— Bien sûr. Tu me combles en me gardant pour le week-end alors que je me suis invitée. J'aurais été bourrelée de remords si tu avais annulé ton rendez-vous. Passe une bonne soirée. Peter et moi allons avoir un petit dîner tous les deux. Ensuite, je le laisserai s'en aller à Seton Hall, où il devrait se trouver un samedi soir.

Pat sortit dans la froide nuit de mars et s'installa au volant de sa Volvo vieille de huit ans. Tim avait proposé de passer la chercher, mais elle avait insisté pour le retrouver au restaurant. Elle se sentait plus en sécurité en prenant sa propre voiture.

Après avoir parcouru les trente-cinq kilomètres la séparant de Manhattan, elle trouva par miracle une place sur la 58e rue Ouest, à quelques pas de sa destination.

De petites lampes blanches clignotantes encadraient la façade de Petrossian. Même dans le noir, Pat put détailler l'architecture baroque de l'immeuble du fameux restaurant, ses fioritures et les curieuses petites gargouilles qui souriaient ou grimaçaient aux gens passant sur le trottoir.

« On dirait que vous me mettez au défi d'aller plus loin », pensa la jeune femme en montant les escaliers au sommet desquels l'attendait un portier d'allure imposante. Elle respira un grand coup et entra.

A l'intérieur, une boutique proposait des échantillons des mets qui avaient rendu Petrossian célèbre : boîtes de caviar, de foie gras, de pâtés sur des étagères de verre, tranches de saumon fumé, d'esturgeon et d'anguille sur des plateaux d'argent, sans compter, plus tentants que tout, des truffes, des caramels russes et des chocolats à la vodka ou au cognac.

Regardant vers la droite, dans le restaurant, Pat aperçut Tim Kavanagh, qui l'attendait au bar de style Art déco. Le regard dont il l'enroba et l'expression de son visage tandis qu'elle s'avançait vers lui en disaient long sur le plaisir qu'il

94

éprouvait. Elle ne regretta pas d'avoir choisi la robe de velours bleu.

Tim se leva pour l'accueillir.

— Vous êtes splendide, murmura-t-il.

— Merci.

Elle reconnut ce picotement, si révélateur, qu'elle n'avait pas senti depuis longtemps.

Un homme en blazer les guida jusqu'à une table pour deux. En s'asseyant, Pat nota que la plupart des autres tables étaient, elles aussi, destinées à deux personnes. Le restaurant était plus petit et plus intime qu'elle ne l'avait imaginé.

— Pat, désirez-vous un peu de champagne ?

— Avec joie...

Le garçon, également en blazer bleu, l'emblème de Petrossian cousu sur la pochette, alla chercher une bouteille de Charles Heidsieck 1985. Pat admira l'élégance du cadre et l'allure de son compagnon. Quel délice de se retrouver assise en face d'un homme qui lui plaisait... Mon Dieu, que tout cela lui avait manqué – l'alchimie, l'attirance...

— Comment en êtes-vous venu à aimer tout ce qui concerne la Russie ? lui demanda-t-elle.

Tim réfléchit un moment avant de répondre :

— Tout a commencé, je crois, lorsque j'ai lu *Nicolas et Alexandra* au lycée. Le destin de la famille impériale, l'hémophilie du tsarévitch, l'influence de Raspoutine, la chute de la dynastie et l'assassinat des Romanov, tout cela m'a fasciné. A peu près à la même époque, j'ai vu *Anastasia*, le film avec Yul Brynner et Ingrid Bergman racontant l'histoire de cette femme qui prétendait être la plus jeune fille du tsar et avoir échappé au massacre. Dès lors, j'ai eu le virus.

Pat sourit.

— Vous me rappelez Peter. Une fois qu'il a entendu les récits d'Olga, une vieille Russe blanche qui est devenue pour lui une grand-mère de substitution, il ne s'est plus lassé.

Le couple goûta plusieurs sortes de caviar, Sevruga, Ossète et Béluga. Tim, en même temps, expliqua à la jeune femme les différences entre les esturgeons de la mer Caspienne dont les œufs minuscules donnaient cette nourriture de prince. Pat opta ensuite pour un saumon avec de la sauce de homard. Tim, quant à lui, choisit un soufflet de coquille Saint-Jacques servi avec des truffes et une sauce de caviar pressé. Chacun goûta le plat de l'autre et trouva les mets fabuleux.

Après le café, Tim posa sa main sur celle de Pat.

— J'ai vraiment apprécié cette soirée, Pat.

— Moi aussi. Le dîner, le cadre…

Elle se tut instant.

— La compagnie…

Tim sourit.

— J'espère que nous aurons d'autres soirs comme celui-ci.

— Je l'espère aussi.

37

Après avoir commandé les cheeseburgers moelleux qui faisaient la réputation de l'Iron Horse,

Faye et Peter se renversèrent dans leur banquette en sirotant leur boisson.

— Je vous ai observés toute la journée, toi et ta mère, Peter, et je vous admire. Je dois même dire que je vous jalouse.

— Vous, jalouse de nous ? répondit le jeune homme avec un rire incrédule. Je n'arrive pas à y croire.

— C'est la vérité. Vous avez une vie bien construite. Pat gagne la sienne grâce à un travail qui lui plaît et qu'elle fait bien. Elle a élevé seule un bon fils. Elle a de quoi être fière.

Peter but une gorgée de son Coca.

— Et vous, Faye ? Vous n'avez pas chômé non plus. Vous êtes quand même journaliste de télévision.

Faye fixa le mur devant elle. Allait-elle se confier à quelqu'un de si jeune ? Pourquoi pas ? Cela ne ferait pas de mal à cet adolescent de savoir comment fonctionnait le monde réel.

— Peter, ne te fie pas aux apparences. Il s'agit d'un métier comme un autre. Du moins, ça l'est devenu. Apparemment, je ne possède plus l'enthousiasme qui me motivait jadis. En plus, il s'avère que je ne garderai plus très longtemps mon poste à KEY News.

Peter l'écouta avidement lui raconter les derniers déboires de sa carrière.

— La vente Fabergé a été la goutte d'eau qui a fait déborder le vase. Mais j'étais sur la sellette depuis longtemps. Je déteste l'idée de finir sur un échec.

Elle termina son vin et se fit plus philosophe.

— Voyons le bon côté des choses. Il y a au moins un événement positif : c'est à cette vente aux enchères que je vous ai retrouvés, ta mère et toi. Rien que pour cette raison, cela valait la peine d'y assister.

Les cheeseburgers arrivèrent. Tout en versant du ketchup sur ses frites, Peter décida de raconter à Faye l'histoire de l'Œuf de lune d'Olga. Il fallait qu'il révèle cette information à quelqu'un. Et Faye, après tout, semblait bien placée. KEY News enquêterait aussi bien que la police. Et, de cette façon, il n'aurait pas à mêler sa mère à cette affaire.

Faye l'écouta sans l'interrompre. Quel crédit pouvait-elle accorder à ce gamin ? Elle savait bien que les nouvelles provenaient parfois de sources totalement inattendues. Mais le récit de Peter lui paraissait si extraordinaire qu'elle ne pouvait s'empêcher de demeurer sceptique, à la fois sur la véracité de l'histoire et sur la chance inouïe, si elle était authentique, qu'elle représentait pour elle.

— Peter, crois-tu pouvoir convaincre Olga de nous laisser filmer l'Œuf de lune ?

Les yeux du jeune homme s'arrondirent. Il avala sa salive.

— Vous plaisantez ? Même dans un million d'années, Olga ne laissera personne voir l'Œuf de lune, et surtout pas une équipe de télévision.

— Écoute, Peter. Nous ne serons pas nombreux. Juste moi et mon caméraman. C'est un type bien. Tout se passera très calmement et nous nous montrerons le moins envahissant possible. Le tout ne durera pas plus d'une demi-heure.

— Elle n'acceptera pas.

— C'est capital, Peter. J'ai besoin d'apporter la preuve qu'un autre Œuf de lune, le vrai, existe. A moins, bien sûr, que tu ne persuades Olga de nous le confier.

— Pas la moindre chance.

Faye eut un sourire penaud.

— Très bien, très bien. Mais s'il existe une personne qui puisse la convaincre de nous laisser jeter un œil sur l'œuf, c'est toi.

Peter parut soucieux.

— Qu'est-ce qui ne va pas ?

— Je refuse de faire courir le moindre danger à Olga.

L'expression de Faye devint grave.

— Je le sais bien, Peter. Mais la vérité finit toujours par éclater. Et Olga n'aura aucun ennui. Elle n'a rien fait de mal.

— Cet œuf a quand même été subtilisé dans l'atelier Fabergé à Saint-Pétersbourg.

— C'est son père qui l'a pris. Et cela se passait il y a plus de quatre-vingts ans. As-tu jamais entendu parler de prescription ? Qui, aujourd'hui, pourrait la poursuivre ?

— Et les Russes ? hasarda Peter.

— Je doute fort que le gouvernement des États-Unis extrade une vieille dame vers Moscou.

Le jeune homme termina son Coca-Cola. Ses traits se détendirent.

— Olga n'a donc pas à redouter d'aller en prison ?

— Bien sûr que non.
— Elle va être soulagée d'entendre ça.

38

B.J. avait un test infaillible : Hogs et Heifers.

Si une femme tenait toute une soirée dans ce repaire de motards, en plein cœur du quartier des boucheries industrielles de New York, elle avait de grandes chances d'être son type.

Autrefois, il ne faisait passer cette épreuve décisive à ses futures conquêtes qu'après les dîners, les séances de cinéma, les concerts et autres travaux d'approche traditionnels. A présent, il allait droit à l'essentiel. Pourquoi tourner autour du pot ? Une femme ne supportant pas Hogs et Heifers ne le supporterait pas, lui.

Il aimait l'aspect sauvage de l'endroit, son laisser-aller. Il scruta le visage de Meryl, qui resta indéchiffrable. A quoi pensait-elle tandis qu'ils se frayaient un chemin au milieu des travestis qui encombraient les rues menant au bar ? Réalisait-elle que ces créatures outrageusement maquillées, en bottes et minijupes, étaient en fait des hommes ?

L'une d'elles, blonde et mince, s'approcha d'eux et, d'une voix de baryton, demanda en arquant ses sourcils soulignés d'un gros trait de crayon noir :
— Tu montes, chéri ?
Meryl leva les yeux vers B.J.
— Tu sais y faire avec les filles, toi.

Des dizaines de Harley-Davidson étaient garées devant Hogs et Heifers. Leurs propriétaires dégustaient leur bière sur le trottoir. Se faufilant entre les motos noires et les motards à l'aspect sinistre cintrés dans leur veste de cuir, Meryl prit fermement le bras de B.J.

« C'est déjà dans la poche », se dit-il.

Le couple pénétra dans la salle enfumée, accueilli par les hurlements des Allman Brothers amplifiés par la stéréo. Des drapeaux sudistes ornaient les murs. Un long comptoir longeait celui de gauche. Au-dessus, des soutiens-gorge pendaient du plafond.

B.J. guetta la réaction de Meryl.

— Charmant, dit-elle d'une voix sarcastique.

Les serveuses portaient des bottes et des chapeaux de cow-boy, des shorts ultracourts et des hauts de bikinis. A travers des porte-voix, elles abreuvaient d'injures les clients peu généreux sur les pourboires.

— Vingt-cinq cents? C'est ce que ta mère s'est fait payer pour te fabriquer avec un matelot bourré!

Il n'y avait aucun endroit pour s'asseoir. On se serait cru dans un wagon de métro jonché de canettes de bière et de vieux mégots.

— Deux PBR! cria B.J. à la barmaid officiant derrière le comptoir.

— La classe, remarqua Meryl. Pabst Blue Ribbon... Mmm...

— Attends la suite, Meryl, s'esclaffa B.J.

La barmaid ouvrit deux canettes glacées, les posa sur le zinc.

— Maintenant, bébé, tu dois t'enfiler ça.

Elle servit trois doses de tequila, avala aussitôt la sienne. B.J. l'imita, puis sourit à Meryl qui, sans sourciller, engloutit l'alcool cul sec.

— Je croyais que les serveuses n'avaient pas le droit de picoler pendant le boulot, déclara-t-elle le plus sérieusement du monde.

B.J. se contenta d'un haussement d'épaule, qui signifiait : « On s'en fout. »

— C'est quoi, ça ?

Meryl désignait du doigt, à côté du bar, un poteau surmonté d'un rouleau de fil de fer barbelé.

— Si tu arrives à l'escalader jusqu'en haut, tu gagnes un verre de tequila gratuit, expliqua B.J.

— Marrant.

Elle but une longue gorgée de PBR.

— Allez, poulette ! aboya le porte-voix. Monte là-dessus et enlève ton soutif !

Elle avait entendu parler de cet endroit, avait lu des articles sur lui dans les journaux. De nombreuses jeunes stars du cinéma, venues s'encanailler, y avaient laissé des souvenirs. Les soutiens-gorge de quelques-unes des plus grandes vedettes de Hollywood flottaient ainsi au-dessus du comptoir de Hogs et Heifers.

B.J. observait toujours Meryl. Elle resta impavide, feignant de ne pas avoir entendu le porte-voix.

La barmaid ne renonça pas.

— Allez, ma caille. On est tous copains, ici. Ne garde pas tes nibards pour toi toute seule. Fais-en profiter tes potes.

Meryl termina sa bière, reposa sa canette d'un geste résolu. Elle se hissa sur le comptoir et, sous les yeux admiratifs de B.J., commença à se déhancher au rythme de la musique country, suivant, pour la plus grande joie de l'assistance, l'accélération du tempo. Glissant les mains sous son pull, elle dégrafa son soutien-gorge et, sous les applaudissements, le jeta dans la salle.

Ils quittèrent Hogs et Heifers une heure plus tard. Une puanteur de viande crue emplissait l'air de la nuit et des paquets de bacon moisi encombraient le trottoir devant eux. Meryl ne parut même pas le remarquer. B.J. savait qu'elle avait réussi le test.

39

Premier dimanche de Carême

Il y avait longtemps que Faye n'avait pas assisté à la messe à Saint-André. L'église de brique bleue de son enfance n'avait pas changé. Ce dimanche matin, la jeune femme oublia un instant les vicissitudes de sa vie présente. Elle retrouva, trempant ses doigts dans le bénitier avant d'aller s'asseoir sur un banc du fond en se frottant les mains à cause du froid, des souvenirs heureux.

Elle revécut ces dimanches où Robbie et elle, dans leurs beaux vêtements, suivaient l'office à côté de leurs parents, s'agitant en attendant la sortie et le moment où, chez le pâtissier, ils recevraient enfin leur récompense. Faye avait un faible pour les *crumbles* bien épais. Robbie, lui, choisissait toujours le même gâteau à la crème au chocolat.

Cette passion le poursuivait encore. Trente ans plus tard, il ne prenait au petit déjeuner que des céréales au chocolat, s'en contentant parfois au déjeuner et au dîner.

Robbie semblait aller mieux, ce qui la soulageait. Le pire était peut-être derrière lui. Peut-être n'avait-il vécu qu'un épisode sans conséquence. Elle pria pour qu'il en fût ainsi.

Le crucifix recouvert d'un linge pourpre resterait caché jusqu'au dimanche de Pâques. Ensuite, en mémoire de la résurrection du Christ d'entre les morts, on dévoilerait la croix. Dans six semaines. Où serait-elle, à ce moment-là ?

Il fallait qu'elle s'occupe de son avenir, qu'elle obtienne des entretiens. Six semaines, ça passait diablement vite. Elle ne voulait pas y songer. « Dis donc, ma vieille, penses-y quand même, et sans tarder ! Ton compte en banque ne se remplira pas tout seul. »

Pourquoi n'avait-elle pas mis davantage d'argent de côté ? Elle gagnait un bon paquet par mois. Où passait-il ? Comment arrivait-elle à le dépenser ?

Elle connaissait la réponse. Elle habitait en plein cœur de New York, où la vie était tout, sauf bon marché. Peut-être devrait-elle renoncer à la ville, s'installer ici, trouver un emploi dans la presse locale ou à la télévision du New Jersey. Ils l'embaucheraient en un clin d'œil. KEY News, si Richard ne la sabotait pas, serait un passeport miracle.

Tout, dans cette petite ville de banlieue, lui coûterait moitié prix : le loyer, le train de vie. Elle n'aurait pas à faire de frais pour s'habiller, à dépenser des fortunes en restaurant. Tout serait plus simple.

Et l'ennui ? Elle avait quitté Westwood parce qu'on s'y morfondait. Pourtant, aujourd'hui, elle avait envie d'y revenir. Curieux.

Hé, il s'en passe des choses, en banlieue ! Ne serait-ce que cette histoire d'Olga. Pourquoi avait-elle promis à Peter de ne pas en parler à Pat ? Elle, au moins, aurait pu démêler le vrai du faux.

Si l'histoire était vraie, quelle aubaine ! Un scoop pour « A la une ce soir », qui lui permettrait de s'en aller la tête haute. Et de damner le pion à ce salaud de Richard.

Le prêtre ronronnait. Faye ne l'écoutait pas plus qu'elle ne prêtait jadis attention aux sermons moralisateurs de la mère supérieure de son école catholique. Elle chercha à reconnaître, au milieu de l'assistance, des visages familiers. Elle n'en vit aucun. Mais les personnes qui se trouvaient là avaient l'air de gens honnêtes qui travaillaient pour se construire une existence, utilisant au mieux les cartes que leur avait distribuées le destin.

« C'est ce que nous devrions tous faire », conclut-elle en pensant à Pat. « Un vrai modèle », se dit-elle.

40

Faye et Pat passèrent l'après-midi à grignoter des cookies au chocolat tout en feuilletant les livres sur Fabergé que s'était procurés Pat.

— Le jour où Olga m'a apporté au magasin sa première pièce signée Fabergé, expliqua-t-elle, j'ai attrapé le virus. Chaque fois que je déniche un nouveau livre sur le sujet, je l'achète. Voici celui rédigé par Marjorie Merriweather, richissime héritière des céréales du même nom, russophile en diable et collectionneuse fervente d'objets Fabergé. C'est elle qui possède la couronne de diamants qu'Alexandra portait le jour de son mariage avec Nicolas II, sans compter deux œufs de Pâques impériaux.

— Lesquels ?

— Tu vois, là ? Le bleu, avec un monogramme, et l'autre, en camée. Ce qui fait leur prix, c'est leur contenu. Les œufs qui ont le plus de valeur sont ceux dont le trésor, à l'intérieur, est resté intact.

Faye continua à feuilleter le livre, admirant les dessins que les artistes peaufinaient pendant des mois avant de les transformer en objets d'or, d'émail ou de pierres précieuses. Tombant sur le chapitre relatif aux œufs impériaux, elle lut avidement :

« *On se perd en conjectures sur le nombre d'œufs impériaux fabriqués par Fabergé. Cela tient au caractère privé de leur commande et de leur exécution. Ces pièces n'étaient pas censées être livrées à l'admiration du public. Il ne s'agissait que de présents offerts à ses intimes par le tsar en personne.*

« *Dix œufs furent exécutés sous le règne d'Alexandre III, quarante-quatre sous celui de Nicolas II. Deux autres, enfin, furent dessinés et fabriqués en 1917. Ils ont été perdus et nul ne sait s'ils furent effectivement livrés, avant la chute des Romanov, à la tsarine Alexandra ou à la mère du tsar, l'impératrice douairière Maria Feodorovna. »*

L'Œuf de lune était l'un de ces deux œufs commandés par le tsar alors qu'il ne se doutait pas que lui et sa famille seraient massacrés la même année. Faye frissonna et poursuivit sa lecture :

« Dix de ces œufs sont exposés au musée du Kremlin. On en trouve également aux États-Unis, dont neuf au musée Forbes de New York, ainsi qu'en Europe, dans des collections privées. Certains collectionneurs répugnent à avouer qu'ils en détiennent, non seulement à cause de leur valeur, mais aussi parce qu'ils ne souhaitent nullement révéler comment ces trésors sont entrés en leur possession. »

Olga. Une nouvelle fois, Faye brûlait d'envie de raconter à Pat ce que Peter lui avait confié. Mais elle avait promis de se taire.

41

Après avoir déverrouillé la porte de son appartement et allumé les lampes, Faye traversa à reculons le petit vestibule qui menait à son salon, tenant une extrémité de la table de fer forgé que Pat l'aidait à porter.

— Nous y voilà. Bienvenue dans ma tanière. Correspond-elle à ma description ?

— Plus encore que je ne l'imaginais ! répondit Pat avec un grand rire, en examinant la pièce chichement meublée.

— Tu es sûre que tu pourras m'aider à la transformer ?

— Sans le moindre doute. Une fois que nous aurons terminé, tous les magazines de décoration insisteront pour venir la photographier. On s'y met tout de suite ? ajouta-t-elle en enlevant son manteau.

— Avec joie.

Pat dirigea les opérations. Faye et elle commencèrent par changer la disposition des meubles. Le canapé de cuir vert quitta ainsi le mur contre lequel il s'appuyait pour se retrouver sous la fenêtre principale.

— Bien, dit Pat avec satisfaction. A présent, tu pourras t'y asseoir les pieds en l'air, siroter ton café du matin en lisant ton journal et regarder le monde extérieur s'agiter en bas, dans la rue.

« Pourquoi n'y ai-je pas pensé plus tôt ? » se demanda Faye. Les déménageurs avaient posé le sofa contre le mur, n'importe où, et elle l'avait laissé là.

A sa grande surprise, son appartement se transforma en moins de trente minutes. Son seul fauteuil, à présent tourné vers le sofa, suffit à créer un coin propice à la conversation. La table de fer forgé venant du dépôt-vente trouva une place toute naturelle près de la chaise. Explorant le fouillis des cartons de livres, Pat dénicha un bol de céramique peint à la main que Faye avait acheté au Nouveau-Mexique, lors d'un reportage sur la vie, ou plutôt la survie, des Indiens parqués dans leur réserve. Elle le posa sur la table, près de bougies qu'elle avait trouvées traînant sur l'étagère.

— Ça vous a tout de suite un autre aspect, souffla Faye.

— La prochaine fois, dit Pat en hochant la tête d'un air satisfait, nous nous occuperons de la décoration des murs.

— Marché conclu ! répliqua son amie avec enthousiasme.

Pat s'empara, sur l'étagère, d'un petit cadre de cuivre, contempla la photo de Faye et de son frère.

— Comment va Robbie ?

— Mieux, depuis qu'il a quitté Nutman Stein. Il ne supportait plus le rythme de cette entreprise de courtage. Tu sais qu'il est employé à KEY News, maintenant.

— Et c'est moins éprouvant que Wall Street ? demanda Pat d'un ton sceptique.

— Là où Robbie travaille, oui. On lui a confié un poste aux archives. Il classe tous les nouveaux reportages effectués par KEY à travers le monde. C'est intéressant et peu stressant.

— Il a toujours été un écorché vif, murmura Pat. Je me souviens que tu veillais sans cesse sur lui, pour qu'il ne se fasse pas chambrer par les autres dans la cour de récréation.

Faye eut un sourire poignant.

— C'est le rôle de toutes les grandes sœurs, non ?

42

Lundi

Faye, ce lundi matin, poussa la lourde porte tournante du grand hall de KEYS News avec un enthousiasme qu'elle n'avait pas ressenti depuis longtemps. Son week-end à Westwood lui avait apporté ce qu'elle cherchait : une juste vision des choses. Il existait des millions de gens qui réussissaient à être heureux et se moquaient comme d'une guigne de ce qui se passait à KEY News.

Elle s'arrêta devant le comptoir de la cafétéria.

— Deux cafés, s'il vous plaît. Noirs.

Pourquoi ne pas se montrer sous son meilleur jour en en apportant un à son collègue de bureau ? Dean serait sidéré par son sourire et sa sollicitude. Il s'attendait à la voir déprimée, abattue. Elle était sûre qu'il était au courant de sa conversation définitive avec Richard, comme tous les membres de l'équipe de « A la une ce soir ». Les bonnes nouvelles allaient vite.

Elle se donna une contenance en approchant de la porte de son bureau.

— Pour quelqu'un sur qui le couperet vient de tomber, tu as l'air en pleine forme.

B.J. était assis à sa place. Quant à Dean, il ne se trouvait pas dans la pièce.

— Oh, quel soulagement! Ce n'est que toi. Je me préparais à jouer la comédie. Café?

Elle lui tendit un gobelet de carton, dont il ôta le couvercle.

— Beurk... Noir.

— J'ai oublié. Tu l'aimes léger et sucré.

— Comme mes nanas.

— Tu n'es qu'un porc.

— C'est ce qui te plaît chez moi, répondit-il en souriant de toutes ses dents.

Elle l'admit sans mal : les écarts de langage de B.J., s'ils allaient à l'encontre de l'éducation catholique qu'elle avait reçue, lui apportaient parfois une bouffée d'air frais.

Il but une gorgée de son café noir, grimaça.

— Alors, que vas-tu faire, maintenant?

— Je n'en sais trop rien. Peut-être laisser tomber ce métier de dingues.

— Ça m'étonnerait. Tu as le virus.

— C'est ce que j'ai toujours cru, mais maintenant, je n'en suis plus si sûre.

Elle lui raconta son week-end chez Pat, lui décrivit le dépôt-vente.

— Tu sais, B.J., l'info n'est pas tout dans la vie.

Elle n'eut pas l'impression de l'avoir convaincu.

— Je m'en veux, murmura-t-il calmement.

— De quoi? répondit-elle avec surprise.

— J'ai entendu ta conversation téléphonique avec Richard, le jour des enchères. J'aurais dû te pousser à forcer la dose.

111

— Pour l'amour du Ciel, B.J., je ne suis pas meneuse de ban. Et je ne passe pas d'examen. Je ne devrais pas être obligée d'en rajouter chaque fois que je propose un sujet à Richard Bullock. L'intérêt du reportage devrait suffire. Il est pathétique de constater qu'un directeur de rédaction se laisse convaincre ou non par la façon dont on lui présente un projet.

Il haussa les épaules.

— Pathétique, peut-être. Mais tu devrais voir comment s'y prend ton copain Dean pour vendre ses salades. A l'entendre, le moindre chien écrasé a tout pour faire exploser l'audimat.

Faye savait qu'il y avait du vrai dans ce qu'il disait.

— Tu as raison, murmura-t-elle. L'histoire de Fabergé était un sujet en or. J'aurais dû me battre pour le faire passer.

— Qu'est-ce que tu vas faire, à présent ? Raser les murs jusqu'à ton départ ?

Elle pensait à ce que lui avait raconté Peter à propos d'Olga et du prétendu « vrai » Œuf de lune.

— En fait, j'ai quelque chose en cours. Une exclusivité. Tu veux travailler dessus avec moi ?

— Banco.

Elle lui fit le récit de l'affaire, du moins de ce qu'elle en connaissait.

— Je pense qu'il faudrait, en premier lieu, rencontrer Clifford Montgomery, le président de Churchill's.

Elle griffonna quelques mots sur son bloc-notes, leva les yeux vers B.J.

— Pourquoi souris-tu d'un air niais ?

— Devine avec qui j'avais rendez-vous samedi soir ?

43

Lundi matin. Pat chantonnait tout en attendant son café chez Choo Choo Charlie.

— Passé un bon week-end ? demanda Charlie Ferrino.

— Mmmm. Vraiment chouette.

— Fait quelque chose de spécial ?

Le « Mmmm » de Pat ne lui disait rien de bon. Il n'avait pas vraiment envie d'entendre la réponse.

— Oui. Je suis allée dîner à Manhattan, dans un restaurant merveilleux.

— Avec qui ? Un soupirant ?

Charlie se concentra sur le gobelet de café dont il fixa le couvercle, feignant de ne porter à Pat qu'un intérêt purement amical. Mais son cœur battait la chamade.

— En quelque sorte, murmura Pat, cherchant à réprimer son sourire.

— Et ensuite ?

— Oh, Charlie, qu'allez-vous imaginer ? C'était un dîner, rien de plus.

Elle eut un rire nerveux, secoua la tête.

Il ne la crut pas.

44

Pour faire patienter Faye, qui attendait l'arrivée de Clifford Montgomery, Meryl Quan lui servit une tasse de thé. Ainsi donc, c'était la jeune femme qui plaisait tant à B.J. Pas mal.

— Sucre ?

— Non merci. Mais un peu de citron.

Tandis que Faye pressait la rondelle au-dessus de sa tasse, Meryl s'excusa :

— Je suis navrée de ce retard. Monsieur Montgomery ne va pas tarder.

— Aucune importance.

Faye sourit. Elle n'était pas mécontente de disposer de quelques minutes pour se concentrer, avant un entretien qui promettait d'être tendu. Comment Montgomery allait-il réagir ? Elle s'était renseignée sur lui, sur les années qu'il avait passées, jeune homme, à étudier les œuvres de Fabergé tout en travaillant à La Russie impériale, non seulement un des dix meilleurs antiquaires de la planète, mais aussi une des sommités américaines en matière d'objets d'art russes. Depuis, on considérait Montgomery comme l'un des experts mondiaux les plus fiables en ce qui concernait Fabergé. Or, elle allait lui apprendre qu'il avait peut-être authentifié un faux Œuf de lune. Une erreur de six millions de dollars.

— Je suis désolé de vous avoir fait attendre.

Montgomery traversa la pièce d'un pas vif et tendit la main à Faye. Il était vêtu d'un impeccable costume bleu marine à rayures blanches. Le bleu plus clair de sa pochette s'harmonisait avec la couleur de sa cravate de soie.

— Merci de me recevoir aussi rapidement, dit la journaliste. Je m'efforcerai de ne pas abuser de votre temps.

114

— Nous avons toujours du temps pour KEY News. Et votre coup de fil à mon assistante mademoiselle Quan, ici présente, nous a intrigués.

Il ne manifestait aucune émotion particulière. Sans doute essayait-il de dissimuler une certaine appréhension qui ne tarderait pas, pensa la jeune femme, à se transformer en inquiétude.

— Monsieur Montgomery, je travaille actuellement sur un sujet que nous pourrions intituler *Fauxbergé* et qui, je n'en doute pas, ne doit avoir aucun secret pour vous.

Montgomery hocha la tête.

— Pas le moindre, effectivement. J'ai eu l'occasion, ici ou là, de tomber sur des contrefaçons. D'ordinaire, les vendeurs qui nous les confiaient ne soupçonnaient même pas qu'ils détenaient des copies.

— Vous voulez dire qu'ils avaient acheté ces pièces en croyant avoir affaire à d'authentiques Fabergé ?

— C'est exact.

— Comment ont-ils réagi lorsque vous leur avez révélé qu'ils s'étaient fait gruger ?

Montgomery garda le silence un instant, triturant un presse-papiers.

— Incrédulité, colère, honte. Ils ne pouvaient que s'en remettre aux autorités pour essayer d'identifier les faussaires, ce qui se produit rarement.

— Pourquoi ? demanda Faye.

— En ce qui concerne les objets d'art, les contrefaçons sont bien plus répandues qu'on ne le croit. Des experts célèbres ont authentifié des faux.

115

Parlait-il pour lui-même ? Se doutait-il que la jeune femme assise en face de lui s'apprêtait à insinuer qu'il avait certifié comme authentique la copie d'un Œuf de lune ? Cherchait-il une excuse en affirmant qu'on pouvait abuser les experts les plus fiables ? Elle feuilleta son carnet de notes.

— Monsieur Montgomery, croyez-vous possible que l'œuf vendu aux enchères ici même, chez Churchill's, la semaine dernière, soit un faux ?

— Mademoiselle Slater, répondit-il froidement, rien n'est impossible. Mais j'ai moi-même identifié l'Œuf de lune. J'ai engagé ma réputation et celle de cet établissement.

« Il a du sang-froid », pensa Faye.

— Permettez-moi de vous retourner la question, mademoiselle Slater. Qu'est-ce qui vous fait croire que l'Œuf de lune puisse être une copie ?

— Une de mes sources affirme savoir où se trouve le vrai.

— Une source fiable ?

— Tout ce qu'il y a de plus fiable, à mon avis.

— Avez-vous vu ce soi-disant véritable Œuf de lune ?

— Pas encore.

— Vous ne le verrez jamais, pour la bonne raison qu'il n'existe pas. Vous devriez vous méfier, mademoiselle Slater. Vous portez, sans preuves, de graves accusations. Je vous conseille de vous montrer très prudente.

45

Recroquevillée sur le sofa de son salon minuscule, Olga triturait nerveusement les boutons de nacre de son cardigan, tout en écoutant d'un air soucieux les arguments de celui qu'elle considérait comme son petit-fils adoptif.

— Vraiment, Olga. Tout se passera le mieux du monde. Vous n'avez rien fait de mal. Personne ne vous reprochera quoi que ce soit.

Les yeux embrumés de la vieille femme scrutèrent le visage de Peter. Comment pouvait-il se montrer si confiant ?

— Comment sais-tu qu'il ne m'arrivera rien ? demanda-t-elle. La police est partout, même et surtout quand on ne la voit pas.

Elle croisa les bras contre sa poitrine, essayant de se réchauffer dans son appartement subitement si froid. Ce jeune Américain était si naïf...

— Olga, répondit-il sans se démonter, je sais que la police espionne tout le monde et qu'elle est au courant de tout ce qui se passe chez n'importe quel citoyen. Là-dessus, je suis d'accord avec vous. Mais ce que je me tue à vous dire, c'est que vous n'avez rien fait de répréhensible et que vous n'avez pas à vous inquiéter. Personne ne vous enverra en prison ou en exil parce que vous possédez l'Œuf de lune.

Lentement, la vieille dame se leva et marcha à petits pas vers sa kitchenette. Elle plaça une bouilloire sur le feu, sortit un pot du réfrigérateur. Peter la rejoignit.

— Mmmm, du caviar d'aubergines ! Je n'osais pas vous en demander.

Elle sourit en le voyant en badigeonner des tranches de pain de mie. Il ne se lassait jamais de cette recette venue de là-bas, du vieux pays, et qu'elle tenait de sa mère.

— J'en ferai davantage pour toi lorsque tu reviendras. Tu en emporteras à l'université.

Elle le regarda manger, apprécia sa gourmandise. En même temps, elle réfléchissait. Peut-être, après tout, était-il temps d'en finir, de se décharger du fardeau qu'elle portait depuis si longtemps, d'arrêter de vivre dans la crainte.

— Tu me dis qu'on peut avoir confiance en cette journaliste de télévision ?

Peter hocha gravement la tête, tout en s'essuyant la bouche du revers de la main.

— Je vous le jure, Olga. Faye est une vieille amie de ma mère. Elle a passé son enfance ici, à Westwood. A présent, elle travaille pour KEY News et m'a assuré que vous ne risquiez rien. Elle est en mesure de faire éclater la vérité. Quelqu'un a acheté un faux pour six millions de dollars. Ce n'est pas juste.

La vieille dame eut un sourire triste. Ah, Peter était si jeune ! Il croyait encore en un monde juste.

Elle se sentit tout d'un coup très fatiguée : fatiguée de se cacher, de vivre dans l'anxiété, de dissimuler la vérité. Bientôt, elle irait rejoindre l'autre monde. Ne valait-il pas mieux s'en aller sans laisser derrière elle une tâche inaccomplie ?

Elle n'avait plus la force de continuer à vivre avec son secret. La venue de Peter n'était peut-être pas le fait du hasard. Peut-être s'agissait-il d'un signe, d'un message de Dieu lui demandant de faire ce qu'il fallait, pendant qu'il en était encore temps.

— Entendu, dit-elle.

Ébahi, Peter leva les yeux vers elle. Il n'en croyait pas ses oreilles. Elle ajouta :

— Fais venir cette femme de la télévision. Je lui permets de filmer l'Œuf de lune.

46

Faye colla son nez contre la vitre du taxi bloqué dans Manhattan. C'était l'heure du déjeuner et des embouteillages.

Que faire, à présent ? Sans le véritable Œuf de lune, son enquête n'avancerait pas. Et d'après ce que Peter lui avait raconté d'Olga, la vieille dame n'était pas prête à autoriser Clifford Montgomery, ou n'importe qui d'autre, à examiner la pièce qu'elle avait en sa possession. Elle avait trop peur de la police. Or, sans expertise, on pourrait toujours prétendre que c'était Olga elle-même qui détenait un faux.

La police. Le FBI. C'était la seule solution logique.

Le taxi jaune s'arrêta devant l'immeuble de KEY News. Faye donna un pourboire généreux au chauffeur. Pauvre homme... Il avait dû se morfondre toute la journée dans cette circulation impossible.

119

Il ne la remercia même pas. Typique. Tendez la main et on vous crachera dans la paume.

Dean Cohen s'apprêtait à aller déjeuner lorsque Faye déboula dans le bureau.

— Où as-tu passé la matinée ? lui demanda-t-il.

— Un peu partout. Depuis que mes jours sont comptés, je ne pointe plus, répliqua-t-elle en s'efforçant de paraître enjouée.

— Des propositions de travail en perspective ?

— J'ai quelques fers au feu, mentit-elle.

— Je suis content pour toi, mentit-il à son tour.

Elle appuya sur la touche « messages » de son téléphone.

« Salut, Faye, c'est Rob. Si tu veux déjeuner, tu m'appelles. »

Elle écouta avidement le message suivant : une voix de jeune homme, peu assurée :

« Faye, ici Peter Devereaux. Olga accepte que vous filmiez l'Œuf de lune. Est-ce que cela pourrait avoir lieu aujourd'hui, avant qu'elle change d'avis ? »

47

Mon Dieu, qu'ai-je fait ? pensait Clifford Montgomery, effondré dans son fauteuil de cuir. *Et si Faye Slater avait raison ?*

C'en serait fini, non seulement de sa réputation, mais de Churchill's. Qui ferait encore confiance à un établissement compromis dans un tel scandale ? Non, ce n'était pas possible. Il s'agissait certainement d'une erreur, d'un malentendu. Faye Slater se trompait. Après tout, elle n'avait pas vu le soi-disant Œuf de lune. Quant à celui que lui, Clifford Montgomery, avait vendu, il portait la marque de Fabergé sur son socle d'or. Alors, qu'en était-il de l'autre ? Il lui fallait absolument le voir de ses propres yeux. Mais comment faire ?

Il se souvint tout d'un coup que Meryl Quan avait assisté à l'entrevue entre la journaliste et lui. Il appuya sur l'interphone, appela son assistante.

— Meryl, vous devez me promettre que rien de ce qui s'est dit ici au cours de la dernière demi-heure ne sortira de cette pièce. Jusqu'à ce que nous ayons le fin mot de l'histoire, tout doit rester entre nous. Vous m'avez bien compris ?

48

— Salut, Jack. Tu en es où, de ton enquête sur « Fauxbergé » ?

— T'occupe, grommela l'agent spécial McCord sans quitter des yeux les papiers qui encombraient son bureau, au quartier général du FBI de New York, à Foley Square.

Fred Behrends, chargé des relations entre la presse et ce même FBI, ne trouva pas la réponse à son goût. Pourquoi McCord était-il si mal élevé ? Est-ce que quelqu'un, un jour, lui rabattrait son caquet ?

— Ce que j'en dis, coco, c'est pas pour moi. KEY News est en train d'enquêter sur un faux

Fabergé. La personne qui a appelé a posé un tas de questions.

McCord parut tout d'un coup intéressé.

— Quel genre ?

— Du genre : et si un faux Fabergé avait été vendu pour un max de pognon ? Et si quelqu'un d'autre avait en sa possession le vrai machin, mais avait peur de parler ?

— Tu lui as répondu quoi, à ce type ?

— J'ai dit à cette gonzesse qu'on la rappellerait.

49

B.J. régla ses éclairages avec soin. Il n'était pas très facile de se déplacer dans le minuscule salon d'Olga. Il se concentra sur les différents plans qu'il voulait prendre de la vieille dame et de son appartement. Le logement ressemblait à une maison de poupée, à une illustration d'un conte pour enfants ; ou bien à la maison des trois petits cochons. En tout cas, c'était un endroit visuellement intéressant.

Faye tentait de rassurer la vieille femme. Elle avait l'air sacrément secoué. Normal : il y avait longtemps qu'elle n'avait pas connu une telle excitation. B.J. espéra qu'elle n'allait pas tomber dans les pommes ou leur claquer entre les doigts. Ce n'était pas le moment.

— Olga, dit doucement Faye, ce serait formidable si nous pouvions vous filmer assise devant votre icône.

Ainsi, c'était comme ça qu'on appelait ce petit tableau religieux accroché au mur. Une icône. Elle était drapée d'un tissu de lin brodé et éclairée par la flamme d'une bougie. Un véritable petit autel. B.J. se demanda si la vieille dame s'agenouillait devant lui pour prier. Sans doute, si elle trouvait la force de plier ses jambes maigrelettes et de s'appuyer sur ses genoux osseux. Une seconde, il se sentit coupable. Il ne se souvenait pas de la dernière fois qu'il s'était mis à genou pour prier.

— Peter m'a dit que vous vouliez filmer l'Œuf. Pas moi, protesta Olga.

Mon Dieu, ça commençait! La vedette de leur reportage, c'était quand même elle. Et voilà qu'elle faisait des manières. « Allez, Faye, sois diplomate. »

— Bien sûr, Olga. Personne ne vous forcera à agir contre votre gré. Si vous ne souhaitez pas que nous vous filmions, nous ne le ferons pas. Mais pour être tout à fait franche avec vous, les téléspectateurs s'intéresseront bien davantage à cette histoire s'ils peuvent voir de leurs yeux la personne qui possède le véritable Œuf de lune.

Olga parut ébranlée. Mais elle restait réticente.

— J'ai une idée, poursuivit Faye. Puisque nous sommes là, nous allons vous filmer. Ensuite, je vous appellerai au moment du montage. Et vous me direz à ce moment-là si vous acceptez ou non que nous diffusions ces images.

La vieille dame semblait désemparée. B.J. n'aimait pas cette pression qu'ils exerçaient sur elle. Ce sentiment, il l'avait éprouvé plusieurs fois. Il se sentait désolé pour les pauvres pékins qui se retrouvaient avec une notoriété qu'ils n'avaient pas recherchée et devaient en assumer les conséquences bien après son départ.

— Allons, Olga. Pourquoi ne vous asseyez-vous pas là ? Nous allons approcher une chaise de l'icône. Voilà. Asseyez-vous, Olga.

Elle obéit docilement. Une fois installée sur la chaise de bois, elle lissa sa robe, croisa les mains sur ses genoux. Elle regarda nerveusement Faye, puis la caméra.

— Parlez-nous un peu de vous, Olga.

— Que désirez-vous savoir ?

— Où êtes-vous née ?

— A Saint-Pétersbourg.

— En Russie ?

— Oui.

— Quand êtes-vous arrivée aux États-Unis ?

— Lorsque je me suis échappée de Russie, après la mort de papa.

— A quelle époque ?

— Après la guerre mondiale.

— La première ? demanda Faye.

— Non. La seconde.

— Comment êtes-vous sortie de Russie ?

Olga commençait à avoir l'air effrayé. B.J. espérait que Faye allait laisser tomber ses questions et passer à autre chose.

— Vous n'êtes pas obligée de parler de tout cela si cela vous contrarie, murmura gentiment Faye. Dites-nous plutôt comment vous êtes entrée en possession de l'Œuf de lune.

Olga prit une profonde respiration. B.J. la cadra en gros plan : la caméra enregistra le tic nerveux au coin de son œil droit.

— Mon père travaillait dans les ateliers Fabergé, à Saint-Pétersbourg. C'était un maître reconnu. Il faisait des choses superbes pour le tsar et la cour. Il fabriquait surtout des œufs de Pâques pour que le tsar les offre à la tsarine et à sa mère à l'occasion de notre jour le plus saint. Mon père travaillait sur ces œufs.

Elle se tut, fixa brièvement la caméra, puis Faye, avant de revenir à l'objectif. « Comme un lapin terrorisé », pensa B.J.

— Ne regardez que moi, Olga, dit Faye d'une voix toujours aussi douce. Oubliez la caméra. Détendez-vous et adressez-vous à moi comme si j'étais la seule personne présente dans cette pièce.

— La chute de la famille impériale a plongé l'ensemble du pays dans le chaos. Les révolutionnaires ont fait main basse sur tout. Ils sont venus à l'atelier et ont tout pris, pour le compte du nouveau gouvernement.

— Tout ?

La caméra avait-elle saisi le bref sourire dans les yeux de la vieille dame ?

— Non, pas tout. Quelques joailliers ont caché des choses. Mon père, lui, a caché l'Œuf de lune.

— Pourriez-vous nous montrer cet Œuf de lune, Olga ?

50

B.J. inséra la cassette et arrêta l'image dix secondes avant le passage où l'Œuf de lune s'ouvrait, laissant apparaître la comète de diamants. Ensuite, Faye et lui se calèrent dans leur siège, attendant Richard Bullock.

Faye se demandait si B.J. percevait sa propre tension. Dès qu'elle avait vu l'Œuf de lune, elle avait su qu'il s'agissait du vrai. Elle n'était experte ni en gemmologie, ni en antiquités, encore moins en histoire russe ou en joaillerie. Mais le pouvoir de l'œuvre d'art l'avait submergée et elle était sûre, jusqu'au tréfonds d'elle-même, d'avoir sous les yeux la pièce unique que Nicolas II comptait offrir à sa bien-aimée Alexandra.

Richard partagerait-il cette certitude ? Ou nierait-il tout en bloc, uniquement parce que le sujet venait d'elle ?

— Voyons cela.

Le directeur de la rédaction venait d'apparaître dans l'encadrement de la porte de la salle de projection.

B.J. appuya sur la touche de mise en marche. Faye observa à la dérobée le visage de Richard, guettant sa réaction. Scepticisme.

« C'est son travail, pensa-t-elle. Il doit être sûr des faits. N'en fais pas une affaire personnelle. Il ne te juge pas. Il ne juge que la véracité de l'histoire. »

— Intéressant, grommela-t-il lorsque B.J. arrêta la vidéo. Vous affirmez donc que cette vieille émigrée russe possède ce prétendu œuf de Fabergé ?

— Oui. Elle l'a caché pendant toutes ces années, pour que personne ne soit au courant.

Faye attendit.

— Et le président d'une des plus célèbres salles des ventes, expert reconnu en ce qui concerne les objets fabriqués par Fabergé, a authentifié l'œuf qui s'est vendu la semaine dernière?

— Je sais que cela peut paraître invraisemblable, mais c'est le cas.

Le cœur de Faye cognait dans sa poitrine.

Un lourd silence s'abattit dans la pièce tandis que Richard, appuyé contre le montant de la porte, réfléchissait à cette improbable histoire. Faye sentait son sang battre dans ses oreilles. Le rouge lui montait aux joues.

— Bien sûr, tout est possible, répondit enfin Bullock. Mais nous avons besoin d'autres éléments avant de nous lancer dans cette affaire.

— J'ai un entretien avec le FBI cet après-midi. Je verrai ce que je pourrai obtenir là-bas, déclara la jeune femme en dissimulant sa déception.

— Bien. Fais-moi savoir ce que tu auras trouvé.

Richard quitta la pièce, se demandant s'il n'avait pas mésestimé Faye.

51

Tout en attendant son interlocuteur au siège du FBI de New York, Faye essayait de s'imaginer l'homme qu'elle allait rencontrer. En bonne condition physique, tireur d'élite, doté certainement de sang-froid, fin psychologue, indifférent à l'argent. Personne ne s'enrichit en travaillant pour le Bureau fédéral d'investigation.

Mais Faye ne s'attendait certes pas à être instantanément attirée par l'agent spécial Jack McCord.

Ses yeux. D'un bleu perçant, ils plongèrent dans les siens dès qu'il pénétra dans la pièce, en compagnie de l'officier chargé des relations avec la presse, Fred Behrends, qui avait pour mission, Faye le savait, d'empêcher McCord d'en dire trop.

Tous deux lui serrèrent la main, prirent place dans les sièges métalliques du bureau nu et fonctionnel.

— En quoi pouvons-nous vous aider, mademoiselle Slater? demanda Behrends.

Pourquoi se sentait-elle tout d'un coup si nerveuse? Elle avait réalisé, au cours de sa carrière, des centaines d'interviews. D'ordinaire, c'étaient ceux qu'elle interrogeait qui se montraient intimidés. Pas elle. Pourquoi les yeux de McCord qui la scrutaient et semblaient la pénétrer tout entière faisaient-ils s'emballer son cœur? Ses joues s'empourpraient, son pied, au bout de sa jambe repliée sur l'autre, s'agitait. Elle regretta de ne pas porter quelque chose de plus seyant que son pantalon de flanelle grise et son chandail de laine bleu marine au col montant. Pourquoi n'avait-elle pas pris quelques minutes, avant de venir, pour rafraîchir son maquillage?

Pas étonnant qu'elle n'ait pas eu de rendez-vous depuis des années. Elle se racla la gorge.

— Je travaille sur un sujet relatif aux faux en œuvres d'art. De faux Fabergé, pour être plus précise. J'aimerais que vous me disiez ce que le FBI fait à ce propos.

— Pouvez-vous nous donner davantage de détails ? demanda Behrends.

— Eh bien, nous avons quelque raison de croire qu'un Œuf impérial de Fabergé récemment mis aux enchères pourrait être une copie.

Les deux agents restèrent impassibles.

— Parlez-vous de l'Œuf de lune qui vient d'être vendu par Churchill's ? demanda McCord.

— En fait, oui.

— Et qu'est-ce qui vous fait croire qu'il ne s'agissait pas du vrai ?

— Une information transmise par une source qui affirme savoir où se trouve le véritable Œuf de lune.

— Avez-vous vu cet objet ?

Hé, c'est moi qui suis censée poser les questions, pensa-t-elle. McCord était en train de l'interroger, et cela ne lui plaisait pas.

— Oui, reconnut-elle.

— Eh bien, mademoiselle Slater, le FBI aimerait beaucoup, lui aussi, voir ce fameux œuf. Selon vous, comment pourrons-nous y parvenir ?

— Pas par mon intermédiaire, monsieur McCord. C'est hors de question.

— Bien entendu, vous n'ignorez pas que vous êtes tenue, en tant que citoyenne des États-Unis, de révéler toute information susceptible d'élucider un délit ou un crime.

— Certainement. Mais mon information ne concerne nullement un délit, répondit Faye d'un air pincé. Si ce qu'on m'a révélé est vrai, le véritable Œuf de lune existe bel et bien, mais il n'y a rien de délictueux là-dedans. S'il y a délit, il consiste à avoir vendu un faux en le faisant passer pour authentique. C'est là que vos hommes interviennent. Le FBI compte-t-il mener une enquête à ce sujet ?

Elle constata qu'elle avait marqué un point : les mâchoires de McCord venaient de se crisper. Behrends saisit la balle au bond, bien décidé à empêcher son collègue de répliquer sous le coup de la colère.

— Nous ne commentons jamais nos investigations en cours, mademoiselle Slater. Mais vous pouvez être assurée que le Bureau consacre tous ses moyens, qui sont considérables, à confondre ceux qui enfreignent la loi.

52

— Le service juridique vient d'appeler. Le FBI souhaiterait avoir la liste de nos vendeurs et acheteurs réguliers, déclara Meryl en cochant un numéro sur son catalogue.

Le département juridique de Churchill's, comme toutes les grandes salles des ventes, entretenait d'excellentes relations de travail avec le FBI. Les deux parties avaient l'habitude d'échanger certaines informations.

Cette fois, pourtant, il s'agissait d'un type particulier de clients. Montgomery ne s'y trompa pas. « Danger », se dit-il.

Il réfléchit très vite. S'il ne communiquait pas cette liste de bonne grâce, ses réticences éveilleraient des soupçons. D'autant que le FBI, s'il refusait, se la procurerait par d'autres moyens.

Mieux valait jouer franc-jeu. De toute façon, le nom de celui qui lui avait fait parvenir l'œuf ne figurait pas sur la liste.

— Entendu. Donnez-la-leur. Nous tenons à coopérer avec eux dans toute la mesure du possible.

Sa voix ne trahissait en rien l'anxiété qui le rongeait. Que diable le FBI allait-il faire de cette liste ?

53

Ce n'est jamais facile. Jamais simple. Ainsi va le monde. On vient à bout d'un problème et un autre, aussitôt, le remplace.

Misha avait quitté la scène. Et à présent, ceci.

Il serait simple de parvenir jusqu'à elle. Une vieille femme fragile, sans défense, vivant dans un minuscule rez-de-jardin. Un jeu d'enfant.

Ne la ramène pas trop, caïd. L'enjeu était de taille. Six millions de dollars ou la tôle. Mais la tôle, pas question. Pas après toutes ces années de travail, ce plan sans faille concocté dans les moindres détails.

Olga n'aurait peut-être pas à mourir. Après le carnage de Misha, l'idée d'un autre meurtre donnait la nausée. Peut-être pourrait-on l'éviter.

Oui. En fait, il fallait simplement se procurer l'œuf véritable. Cela suffirait. Pas besoin de tuer. Une fois dépossédée de l'objet, Olga ne représenterait plus une menace. Jamais cette vieille bique timide n'irait trouver la police.

Mais si, par malheur, on devait se résoudre à l'assassiner, cela ne se passerait pas comme la fois précédente. Se débarrasser de Misha avait été trop écœurant, trop fatigant, trop dur. Cette fois-ci, si cela devait se produire, ce serait plus facile. Du moins pour la personne chargée de tuer.

54

Toujours vêtu de son uniforme de cosaque, Tony tint la porte ouverte pour Meryl, qui quittait Churchill's à la hâte. Elle était en retard à son rendez-vous avec B.J. et ne voulait pas rater le début du film.

— Combien de temps vont-ils te forcer à porter ce déguisement, Tony ?

Le portier l'accompagna jusqu'au bord du trottoir et héla un taxi.

— Encore quelques semaines, mademoiselle Quant. Mais cela ne me gêne pas. Et puis ça tient chaud.

Meryl s'engouffra dans le taxi. Le chauffeur lui intima l'ordre de boucler sa ceinture de sécurité. Une odeur de curry stagnait dans la voiture. En dépit du froid, elle baissa la vitre, respira la brise glacée du soir.

La voiture coupa à travers Central Park jusqu'à l'Upper West Side, avant de la déposer devant le Lincoln Plaza. B.J. l'attendait à l'entrée du complexe. Il lui souhaita la bienvenue par un rapide baiser, l'entraîna à l'intérieur.

— Dépêche-toi. J'ai déjà les billets. On va être en retard.

Ils escaladèrent les marches quatre à quatre, sans attendre que l'escalier roulant les mène jusqu'aux salles du second étage.

— Pop-corn ? proposa B.J. alors qu'ils passaient devant la buvette éclairée au néon.

— Non merci. Plus tard.

Ils trouvèrent une place dans la salle déjà plongée dans le noir, s'assirent au moment où les bandes-annonces s'achevaient sur la présentation d'un film avec Tom Cruise, l'acteur favori de Meryl.

En dépit de ses efforts, elle avait pourtant du mal à se concentrer sur ce qui se passait sur l'écran géant. L'affaire Fabergé l'occupait tout entière. D'abord la journaliste de KEY News, ensuite le FBI. Quelque chose n'allait pas. Elle le savait. Et elle ne voulait pas s'y retrouver impliquée, surtout s'il se tramait quelque chose d'illégal. Elle avait basé sa réussite sur sa propre valeur, n'avait jamais triché. Sa jeune carrière s'annonçait pleine de promesses. Elle refusait d'être mêlée à un scandale.

— Qu'est-ce que tu en as pensé ? lui demanda B.J. au moment où les lumières se rallumaient.

— Très bon.

— Tu rigoles, ou quoi ? C'était un vrai navet.

Elle enfila son manteau.

— Je n'en sais rien, B.J. J'étais incapable de me concentrer.

— Allez, viens. On va dîner. Et nous pourrons parler.

Ils marchèrent dans la nuit glaciale avant de pénétrer dans un restaurant italien, à la limite de Central Park. De fausses fresques pastel ornaient les murs, des bougies éclairaient les tables recouvertes de nappes blanches.

Un maître d'hôtel en queue de pie les entraîna vers une petite table du fond.

— *La signorina è bellissima stassera.*

Ce compliment, débité tandis qu'il s'inclinait derrière la chaise de la jeune femme en la tirant vers lui, sonnait faux. L'accent, sans doute. L'homme n'était pas plus italien que les autres employés de l'établissement. Tous ressemblaient à des acteurs au chômage.

« Tout est truqué, pensa Meryl. Nous vivons dans un monde d'apparences. » Elle n'était plus sûre de personne. Clifford était-il un escroc ? Avait-il sciemment déclaré authentique un faux Fabergé ?

B.J. commanda une bouteille de chianti. Meryl engloutit cul sec le premier verre, en réclama un autre.

— Hé, doucement ! s'exclama B.J. en riant. Sinon, tu vas te retrouver pompette et je ferai de toi ce que je voudrais.

Elle eut un pauvre sourire, saisit une tranche de pain de mie dans le panier posé au milieu de la table. Elle brûlait d'envie de se confier à B.J., mais elle avait peur. Elle ne voulait pas se montrer déloyale vis-à-vis de Clifford en révélant ce qui se passait dans son bureau. D'un autre côté, si Clifford avait mal agi, elle ne ferait rien de répréhensible en en parlant à B.J.

— Je voulais te demander quelque chose, murmura-t-elle en essayant de paraître détachée. Connais-tu, à KEY, une femme nommée Faye Slater ?

— Et comment... Elle et moi travaillons tout le temps ensemble. J'étais son caméraman le jour où nous nous sommes rencontrés à la salle des ventes. Pourquoi me poses-tu cette question ?

— Eh bien, elle a eu récemment une entrevue avec mon patron, et quand elle est partie, il avait l'air sacrément chiffonné.

— A propos de l'Œuf de lune de Fabergé.

Meryl le fixa, bouche bée.

— Comment es-tu au courant ?

— D'après ce que j'ai vu aujourd'hui, ton patron a de quoi se faire beaucoup de mouron.

55

Maintenant que les gens de la télévision étaient partis, l'armoire ne constituait plus une cachette assez sûre. Elle devait dissimuler son trésor ailleurs, dans un endroit où nul ne le découvrirait.

Elle savait où. Personne n'aurait l'idée d'aller fouiller là.

Elle exhuma l'œuf de son écrin d'or, l'enveloppa soigneusement, les mains tremblantes, dans trois sacs de plastique de supermarché, que les Américains jettent à la poubelle mais qu'elle, Olga, gardait.

Elle emmaillota l'objet en serrant à fond, pour que l'humidité ne traverse pas le plastique. Puis, à tout petits pas, sentant ses genoux arthritiques se dérober sous elle, elle traversa son minuscule appartement et enfouit le petit paquet dans la matière fraîche et sombre.

56

« Quiconque jeûne en ce vendredi
ne connaîtra pas la mort subite. »
Dicton paysan russe

Vendredi de la première semaine de Carême

Olga sursautait chaque fois qu'on frappait à sa porte. Ce simple son la ramenait vers son enfance, à l'époque où elle tremblait de peur à l'idée que l'ignoble police bolchevique allait venir lui prendre son père, comme elle avait emmené le père de ses amies. Leningrad – nouveau nom dont on avait affublé Saint-Pétersbourg après la chute du tsar et la prise de pouvoir par les communistes – était un endroit maudit, effrayant, rempli de murmures et d'épais bruits de pas qui martelaient la nuit. La petite Olga connaissait bien la terreur provoquée par les coups cognés aux portes des appartements, les voix profondes et fortes de ceux qui exigeaient qu'on leur ouvre, les gémissements et les sanglots qui succédaient aux cris.

Mais ses amies avaient deux parents. Elles avaient une mère qui restait près de ses enfants une fois que son mari était parti affronter son destin. Le nouveau gouvernement pouvait-il, à elle, Olga, enlever son père ? Sa mère était morte, victime des conditions cruelles de leur nouvelle existence. Le terrible hiver russe, la malnutrition, l'absence de soins avaient eu raison d'elle. Pour Olga, les communistes avaient d'ores et déjà tué sa mère. Ils n'allaient pas, en plus, lui voler son père.

Pourtant, un jour, on frappa avec insistance.

Des décennies avaient passé, mais elle entendait encore ces martèlements contre la porte de bois. Elle en rêvait la nuit, se débattait dans des cauchemars qui la réveillaient en sursaut, le cœur battant, la peau transie et moite. Le jour, elle redoutait même le moindre bruit à l'entrée des autres appartements. Et lorsqu'on frappait chez elle, elle tremblait de tous ses membres.

Heureusement, on ne le faisait pas souvent. Seuls Pat et Peter lui rendaient visite. De temps en temps, Charlie lui apportait une gâterie venue de sa boutique. Elle vivait repliée sur elle-même. Elle ne voulait pas d'ennuis.

La flamme de la bougie vacillait sous l'icône de la Vierge et l'Enfant. « Sainte Mère, protégez-nous », pria Olga tout en se dirigeant, après le troisième coup, vers la porte.

— Qui est là ?

57

La personne visitant l'appartement d'Olga fouilla le petit logement dans ses moindres recoins, prenant bien soin de remettre chaque objet à sa place. Rien ne devait donner l'impression d'avoir été bougé.

Elle eut un instant l'illusion d'obtenir la récompense de sa minutieuse recherche : la boîte Fabergé de velours jaune découverte sous des couvertures, au fond de l'armoire de la chambre. Elle la souleva, la trouva bien légère.

Vide !

Où était l'Œuf de lune ?

Réfléchir. Surtout ne pas paniquer. Ne jamais paniquer.

La fouille se poursuivit. Les minutes passèrent. Toujours rien.

Il était temps de s'en aller. Rester plus longtemps aurait été trop dangereux.

Si on ne pouvait pas mettre la main sur l'Œuf de lune, il fallait au moins mettre sa propriétaire – la femme susceptible de le montrer, d'attester de son existence – hors d'état de nuire. C'était le bon sens même.

La vieille dame fut allongée avec soin sur le lit à une place. On en conclurait qu'elle dormait lors du déclenchement de l'incendie.

La bougie éclairant l'icône servit à enflammer l'étoffe de lin qui drapait les dorures de la Vierge et l'Enfant.

58

La sonnerie stridente du téléphone tira brutalement Faye d'un sommeil de plomb. Son réveil indiquait deux heures du matin.

Un angoisse sourde s'empara d'elle, avant même qu'elle ait décroché. Pour la plupart des gens, un appel en pleine nuit annonce une urgence, un drame familial. Mais pour ceux qui travaillent dans l'information, il peut signifier n'importe quoi : une catastrophe aérienne, une guerre, un assassinat.

— Faye... C'est Peter. Peter Devereaux.

La voix du jeune homme exprimait une terreur absolue.

— Peter, que se passe-t-il ?

— C'est Olga. Un incendie. Oh, mon Dieu !

Faye se redressa avec peine dans son lit, tendit la main vers la lampe de chevet. La lumière soudaine lui brûla les yeux.

— Peter, reprends ton souffle et raconte-moi ce qui est arrivé. D'abord, où es-tu ?

— A l'hôpital de Pascack Valley.

— Et ta mère ?

— Elle parle au médecin de garde aux urgences.

C'était donc grave.

— Que s'est-il passé ?

— Il y a eu le feu dans l'appartement d'Olga. Je ne sais pas comment il a pris. Mais elle...

La voix du jeune homme se brisa et il fit un effort pour ne pas pleurer. Pauvre gosse...

— Elle est gravement brûlée?

Des images atroces s'imposèrent à elle: chairs calcinées, cloques suintantes, greffes. Rien n'était pire que le feu. La douleur était inimaginable. En dépit de la chaleur qui régnait chez elle, elle frissonna de la tête aux pieds.

— Je ne sais pas. Mais elle est inconsciente; et, selon le médecin, elle est dans un état sérieux.

La voix de Peter se brisa de nouveau. Il avait du mal à respirer.

— Faye, c'est de ma faute. Je le sais. J'aurais dû respecter ma promesse.

59

Le bus déposa Faye devant l'hôpital de Pascack Valley. Pat et Peter l'attendaient dans le hall.

— Merci d'être venue de si loin, murmura Pat en la serrant contre elle. Peter m'a dit qu'il t'avait téléphoné. Ta présence ici nous réconforte.

— Ce n'est pas grand-chose. Comment va Olga? Ses brûlures sont graves?

— Grâce à Dieu, elle n'est pas brûlée. Mais la fumée lui a fait perdre conscience. Elle a dû tomber et se cogner la tête. Elle n'a pas repris connaissance.

— Que disent les médecins?

— Leur pronostic n'est pas optimiste. Souvent, les gens de l'âge d'Olga réagissent mal.

La voix de Pat tremblait. Peter entoura d'un bras les épaules de sa mère. Elle appuya sa tête contre la sienne.

— Oh, Peter, c'est trop triste !

Elle fondit en larmes. Quant à Peter, l'expression angoissée de son visage n'échappa pas à Faye.

— Tu sais, ce n'est pas de ta faute, murmura-t-elle.

Stupéfaite, Pat leva les yeux vers son fils.

— Ta faute ? Comment peux-tu croire y être pour quelque chose ? Il s'agit d'un accident.

Il hocha la tête sans répondre. Faye aurait tout donné pour qu'il puisse, en cet instant, révéler à sa mère ce qui le torturait. Crever l'abcès. Il se serait senti tellement mieux… Mais il garda le silence.

Pat le dévisageait avec insistance.

— Peter, mon chéri, tu n'as rien à te reprocher. Selon le chef des pompiers, la bougie qu'Olga gardait toujours allumée a déclenché l'incendie. Cela n'a rien à voir avec toi.

60

Au volant de sa voiture, le professeur Tim Kavanagh quitta à vive allure le parc de stationnement de Garden Gate. Il était pressé d'aller retrouver Pat et Peter. Il espérait que Pat ne le trouverait pas trop présomptueux. Après tout, ils n'avaient eu qu'un seul rendez-vous.

141

Mais lorsqu'elle l'avait appelé pour lui dire qu'elle était obligée de reporter leur second dîner, il avait perçu de l'anxiété dans sa voix. Et connaissant les relations de Peter avec la vieille dame, il était certain que sa mère et lui ne refuseraient pas un soutien moral.

Il voulait être là.

Il songea à la pile de copies d'examen non corrigées qui s'entassaient sur son bureau, poussa un profond soupir. Elles attendraient.

Telle était sa vie. Un semestre succédait à un autre. Chaque nouvelle classe de civilisation russe avait le plus grand mal à réunir le nombre d'élèves requis. Depuis la fin de la guerre froide, peu d'étudiants s'intéressaient à la Russie, passée ou actuelle. Seuls quelques rares adolescents se passionnaient réellement pour le sujet. Comme Peter.

Bien sûr, le Collège universitaire de diplomatie de Seton Hall semblait avoir un brillant avenir devant lui. Kavanagh s'était totalement impliqué dans sa création lorsqu'il avait appris que l'Organisation des Nations unies recherchait un expert pour former de futurs spécialistes des relations internationales. Il avait conçu des cours destinés au nombre croissant d'étudiants qui, venus de toutes les parties du monde, fréquentaient Seton Hall, dont la réputation s'étendait à présent bien au-delà des frontières.

Il jeta une pièce dans la corbeille de péage et remonta sa vitre, saisi par le froid de la nuit. Une Lexus LS400 couleur champagne dépassa en trombe son Altima marron et fonça, devant lui, vers la bretelle 168. Il aurait adoré conduire un tel bolide. Mais un modeste professeur gagnant 60 000 dollars par an pouvait difficilement être vu au volant d'une voiture de 50 000 dollars. Cela aurait paru incongru. Les gens auraient jasé.

Non. Tim Kavanagh devrait se contenter d'augmenter sa collection d'objets Fabergé. Que la famille impériale russe et lui aient, à des années de distance, partagé cette passion le remplissait de plaisir et de satisfaction. Si cet engouement était digne des tsars, il était aussi digne de lui.

61

Il n'y avait plus grand-chose à sauver dans l'appartement d'Olga. Ce que le feu avait épargné, la fumée l'avait souillé, sans compter les dégâts causés par les lances d'incendie des pompiers.

Faye et Tim accompagnaient Pat et Peter, venus prendre la mesure du naufrage.

— C'est un miracle qu'elle ait survécu à tout cela, murmura Faye, exprimant à haute voix ce qu'ils ressentaient tous les quatre.

Peter et elle se dirigèrent directement vers la chambre. Le lit calciné évoquait des restes de charbon de bois au fond d'un barbecue. Un petit miroir était resté accroché au mur, mais une suie épaisse l'empêchait de refléter quoi que ce soit.

La porte de l'armoire était bloquée. Faye et Peter échangèrent un regard avant de la forcer. A l'intérieur, tout était en ordre : les vêtements pendus aux

143

cintres, les chapeaux et le portefeuille de cuir brun d'Olga posés sur l'étagère du haut. Peter se pencha, plongea la main sous la couverture pliée au bas du meuble. Il trouva ce qu'il cherchait, ouvrit à la hâte la boîte de velours jaune.

Elle était vide.

— Il n'est plus là ! souffla-t-il à Faye.

Tous les quatre continuèrent à fouiller les débris qui jonchaient le sol de l'appartement, à la recherche de vestiges identifiables de l'existence d'Olga. L'âcre odeur de laine brûlée, provenant du tapis à présent trempé sous leurs pieds, rendait leur respiration difficile. Ils poursuivirent leur quête sans se regarder. Seule une toux brisait parfois le silence.

Ce fut Peter qui ouvrit la porte du réfrigérateur. Près d'une motte de beurre posée sur une assiette en verre et d'une tranche de saumon destinée au dîner solitaire d'Olga, une demie miche de pain noir côtoyait trois pots remplis du caviar d'aubergine que la vieille dame préparait elle-même. Hébété, Peter resta là, contemplant ces maigres victuailles.

— Viens, chéri, lui dit Pat en entourant son épaule, nous n'avons plus rien à faire ici. Allons-nous-en.

Elle ajouta, poussée par une sollicitude toute maternelle :

— Tiens, prends le caviar d'Olga. Elle adorait le confectionner pour toi et serait heureuse de savoir que tu vas en profiter.

Puis, se tournant vers Faye et Tim :

— Prenez-en aussi.

62

Second dimanche du Carême

Après son jogging à Central Park, effectué sous une pluie glaciale, Jack rentra transi mais heureux. Il aimait son exercice du dimanche matin, qui lui permettait de se libérer de ses tensions tout en mettant de l'ordre dans ses pensées, essentiellement tournées, cette fois, vers l'affaire « Fauxbergé ».

Meryl Quan était une source de renseignements irremplaçable. Elle avait fourni à Jack la liste de tous les acheteurs et vendeurs de pièces Fabergé recensés par Churchill's, précisant qu'elle agissait en parfait accord avec son patron. Bien sûr, si McCord comptait s'en servir pour une action en justice, il devrait leur faire parvenir, dans les règles, une assignation à comparaître comme témoins.

Cela ne poserait pas de gros problèmes. Churchill's et le FBI entretenaient d'excellentes relations de travail. Ils en bénéficiaient l'un et l'autre. Quand les experts de Churchill's soupçonnaient un vendeur de leur avoir confié, pour le mettre aux enchères, un objet dérobé, ils en avertissaient aussitôt le FBI. En retour, le Bureau appelait la salle des ventes pour lui signaler le vol de toute pièce de valeur.

D'un côté, Churchill's avait des rapports étroits avec ses clients. Mais, de l'autre, la maison ne voulait pas d'ennuis. Elle redoutait par-dessus tout le dépôt et la vente de produits illégaux. D'autant que, la plupart du temps, les vendeurs, dont on ne pouvait suspecter la bonne foi, ne savaient même pas qu'ils avaient acquis de la marchandise volée.

L'empressement du public à coopérer avec le FBI avait toujours sidéré Jack. Même si le Bureau, adulé sous le règne de J. Edgar Hoover, avait révélé, après sa mort, des failles et des dysfonctionnements troublants liés à des méthodes parfois peu orthodoxes, cette confiance ne s'était pas démentie. Les citoyens ordinaires ne voyaient plus dans les agents spéciaux du FBI des héros de légende, mais des hommes ou des femmes dévoués et bien formés qui, s'ils commettaient parfois des erreurs, faisaient tout leur possible pour les protéger. Et eux, en contrepartie, refusaient rarement de les aider.

Ce que Jack, avec son cynisme habituel, formulait ainsi : « Ils ont trop la trouille pour nous envoyer paître. »

Il y avait pourtant des exceptions : Faye Slater, par exemple. Cette journaliste de KEY aux grands yeux sombres ne manifestait aucun empressement à coopérer. Apparemment, se mettre à dos le FBI la laissait de marbre. Peut-être s'imaginait-elle que son statut d'employée d'une grande chaîne d'informations télévisées la protégeait d'éventuelles représailles.

« N'en sois pas si sûre, Faye. »

63

Lundi

Berner la sécurité de l'hôpital était un jeu d'enfant. Il suffisait de déclarer qu'on était un parent et on vous laissait passer. Il fallait ensuite se comporter le plus naturellement du monde, dire qu'on venait voir une patiente. Ajouter que le médecin d'Olga avait autorisé la visite.

Une fois qu'on avait passé l'accueil, on pouvait aller où l'on voulait, comme chez soi. Débordées, selon leur habitude, les infirmières et les aides-soignantes ne demandaient jamais ce qu'on faisait là : elles avaient d'autres chats à fouetter.

Fragile et menue, Olga reposait entre de raides draps d'hôpital, sous une couverture de coton bleue bien bordée, qui resterait ainsi jusqu'au matin, lorsqu'une infirmière la tirerait pour soigner la vieille dame, la laver, ou lui masser les jambes.

Ses yeux s'ouvriraient-ils à nouveau ? La nature, après tout, suivrait peut-être son cours. Olga avait eu une longue existence qui, de toute façon, se serait bientôt terminée. Ce qui s'était passé ne faisait qu'accélérer un peu les choses.

Mais si elle se réveillait, si elle reprenait le dessus ? Il était impératif de connaître le moment où il faudrait finir le travail.

64

Un autre lundi matin à KEY News. Il n'y en aurait plus beaucoup d'autres.

Faye aurait donné dix ans de sa vie pour ne rencontrer personne dans les couloirs. Lorsqu'elle tombait sur des connaissances à la cafétéria ou aux toilettes, elle discernait sur leur visage une gêne que nul ne dissimulait. Les gens ne savaient pas quoi dire. Faye allait être licenciée. A leurs yeux, c'était pire que la fin du monde.

KEY News. Deux mots magiques, qui conféraient à ceux qui les prononçaient en tendant leur carte de visite ou qu'on présentait à d'autres convives, lors de cocktails ou de dîners, un prestige incomparable.

Mais à combien de dîners l'invitait-on ? Ce qui avait séduit Faye plus que tout autre chose, c'était l'impression de vivre les événements de l'intérieur, de savoir ce qui se passait avant que le public en prenne connaissance. Cette sensation, elle l'éprouvait pleinement en ce moment, jointe à l'urgence d'étayer les faits pour pouvoir fournir un travail en béton, battre les autres sur leur propre terrain.

Elle était certaine de tenir un sujet en or. Elle brûlait de le réaliser. Mais elle était bien forcée, à contrecœur, d'admettre que Richard avait raison. Elle ne pouvait se contenter de quelques images d'Olga tenant l'œuf entre ses mains. Elle avait besoin d'autres éléments. Le président de Churchill's avait-il authentifié l'œuf en sachant qu'il s'agissait d'un faux ? Avait-il simplement commis une erreur qui ruinerait sa réputation professionnelle et le renom de sa maison ? Ce faux, d'où venait-il ? Qui l'avait acheté, déboursant sans s'en douter six millions de dollars pour une contrefaçon ?

Et puis il y avait la partie la plus effrayante, la plus triste. Olga. Faye priait pour que le déclenchement de l'incendie dans son appartement ne soit qu'une coïncidence, un hasard qui n'avait rien à voir avec la révélation par la vieille dame de l'existence de son précieux Œuf de lune.

Elle essayait de se rassurer. La vidéo montrant Olga et l'œuf impérial n'avait pas été diffusée sur « A la une ce soir ». Le public ne l'avait pas encore vue. Elle n'avait pas pu guider quelqu'un jusqu'à la vieille dame.

L'incendie ne pouvait être qu'un accident. Mon Dieu, il fallait que c'en soit un.

65

Clifford Montgomery faisait les cent pas sur le tapis persan de son bureau. Il n'avait pas dormi depuis la visite de Faye Slater. Qu'avait-elle découvert ? Il fallait qu'il le sache. L'affaire tombait au plus mauvais moment, alors qu'allait commencer la grande campagne de vente d'objets russes. Cet événement l'accaparait au point que, plusieurs fois par semaine, il passait la nuit sur le canapé de son bureau, se douchant, le matin, dans le petit cabinet de toilette attenant à la pièce, où il avait en permanence des chemises propres, du linge et un costume Brooks Brothers de rechange.

Allait-il, un soir, en allumant la télévision, entendre Eliza Blake, présentatrice de « A la une ce soir », annoncer le plus grand scandale qu'on eût vu depuis des années dans le monde de l'art? Allait-il assister en direct, jeté en pâture à un public fasciné, à la ruine de toute une existence?

Mieux valait avoir l'ennemi à portée de main, pour pouvoir le surveiller à loisir.

Montgomery appuya sur l'interphone.

— Meryl, voudriez-vous, s'il vous plaît, appeler Faye Slater à KEY News et lui demander si elle accepterait une invitation à la conférence que je donne au Metropolitan sur les faux en objets d'art?

— Faye Slater? demanda Meryl d'une voix incrédule.

— Ai-je parlé de quelqu'un d'autre? répliqua-t-il sèchement.

S'il parvenait à s'attirer sa sympathie, peut-être pourrait-il la convaincre de l'authenticité de l'Œuf de lune. Après tout, elle lui avait dit qu'elle n'avait pas vu l'autre, admettant par la même occasion qu'elle ne disposait d'aucune preuve.

Cela valait la peine d'essayer. S'il n'arrivait pas à la persuader, il s'arrangerait avec elle d'une autre façon.

66

Tout en composant le numéro du dépôt-vente, Faye fixa avec hargne le dos de Dean Cohen assis devant la table qui lui faisait face. L'obligation de partager son bureau avec Cohen lui faisait horreur.

Mais cela ne durerait plus longtemps. C'était le seul point positif de son départ de KEY News.

Pat décrocha à la seconde sonnerie.

— Dépôt-vente...

— Pat, c'est moi, Faye. Comment va Olga ?

— Stationnaire, répondit calmement Pat.

— Toujours inconsciente ?

— Toujours.

— Que disent les médecins ?

— Pas grand-chose. « Il est urgent d'attendre », comme d'habitude. Tu sais, ils n'aiment pas trop se mouiller.

Faye entendit un bruit de clochettes.

— Il faut que je te laisse, Faye. Un client. Je te préviendrai s'il y a du nouveau.

Faye composa ensuite le 201 : les renseignements.

— Je voudrais un numéro à Westwood, s'il vous plaît. Les pompiers.

Elle eut la sensation que Dean tendait l'oreille. Fouineur...

— Bonjour, ici Faye Slater, de KEY News, à New York. J'aimerais parler au chef de brigade, je vous prie.

En attendant, elle griffonna sur son bloc : « Olga. Œuf. Vidéo. Incendie ? »

Le chef de brigade arriva aussi vite que possible. KEY News : ces deux mots semblaient lui avoir donné des ailes.

— Non, mademoiselle Slater, nous n'avons rien trouvé de suspect dans cet incendie. Nous sommes absolument certains que le feu a été provoqué par la bougie de la vieille dame. C'était un accident.

— Vous en êtes sûr ?

— Presque à cent pour cent.

— Presque ?

Le pompier hésita un instant.

— Une seule chose nous a intrigués : l'entrée n'était pas fermée à clé lorsque nous avons pénétré dans l'appartement. Or, la plupart des vieilles personnes prennent bien soin de se barricader chez elles. Même si nous nous enorgueillissons de vivre dans une petite ville paisible, nous avons récemment lancé une campagne de prévention sur la sécurité. Et le propriétaire de la vieille dame nous a assuré que le verrouillage de sa porte était chez elle une obsession.

67

Mardi

Victor l'avait découvert des années plus tôt, alors qu'il était encore petit garçon. Et sa mère n'en savait rien.

Il fouillait souvent le tiroir secret du secrétaire de noyer pour voir s'il contenait de nouveaux secrets. Au fil des ans, ce tiroir lui avait révélé bien des choses intéressantes, des bribes d'informations qui l'aidaient à mieux connaître sa mère, Nadine. La danseuse étoile. La légende.

Il s'était particulièrement délecté des lettres d'amour. Les lettres à « Nadja », surnom, pensait-il, qui désignait sa mère. Nadja, Nadine. C'était cousu de fil blanc.

Mais qui était « V », auteur de ces missives désespérées ? Il ne s'agissait pas du père décédé de Victor. Lui s'appelait Michael. Nadine avait certainement eu une liaison clandestine avec un autre homme. Quelqu'un qui comptait énormément pour elle, au point qu'elle avait gardé ses lettres, pourtant terriblement compromettantes.

Que sa mère ait pu avoir une vie secrète avait toujours fasciné Victor. Sans doute avait-elle rencontré son amant à l'époque où elle était retournée en Russie comme épouse de diplomate. Les lettres révélaient la solitude qui accablait celui qui l'aimait et qui se morfondait à Saint-Pétersbourg, sans elle. Et elle ? S'était-elle sentie désœuvrée alors que son mari, en pleine guerre froide, s'enfermait des journées entières dans son bureau de l'ambassade américaine ? Était-ce cela qui l'avait poussée à courir un tel risque ?

Ce « V » le laissait perplexe. Peu de noms propres commençaient par cette lettre. Que sa mère l'ait appelé, lui, Victor, son fils unique, le taraudait. Pourtant, il ne lui avait jamais posé de question à ce sujet. En l'interrogeant, il lui aurait avoué du même coup qu'il avait découvert sa cachette secrète.

Il y avait longtemps qu'il n'avait pas fouillé le tiroir, qui ne renfermait plus rien de nouveau. Sa mère menait à présent une existence recluse, sans histoires. Mais, ce jour-là, il s'ennuyait. Il décida de jeter un coup d'œil. Sa mère se faisait masser au premier étage, ce qui l'occuperait pendant au moins une heure.

L'imposante carcasse de Victor se fraya un chemin dans la petite pièce décorée avec goût. « Un vrai bûcheron », avait murmuré jadis une femme de chambre. Il s'efforçait de mettre en valeur son unique atout : la force physique. Il passait le plus clair de son temps à soulever des haltères, à s'entraîner, n'avait qu'une véritable passion : la gymnastique.

La gym et, plus tard, Stacey Spinner. Elle lui donnait une telle confiance en lui ! Elle ne cessait de le complimenter sur son physique, de lui répéter qu'il était beau. Personne, sa mère mise à part, ne l'avait jamais fait. Mais, d'une certaine façon, Nadine ne comptait pas. Les mères vantent toujours les qualités de leur fils. Stacey, elle, l'avait révélé à lui-même dans de nombreux domaines. Et il ne voulait pas qu'elle disparaisse de sa vie.

Il s'assit devant le secrétaire de noyer, faisant saillir ses muscles sous son pantalon. Il écarta les battants de la petite porte, au sommet du meuble, sentit le bouton sous ses doigts. Sésame, ouvre-toi.

68

Tout en regardant Walter et Jane mâcher leur pâtée d'un air indifférent, Faye retournait nerveusement dans sa tête sa conversation avec le chef des pompiers de Westwood. Que la porte d'Olga n'ait pas été fermée à clé la perturbait. Même si elle souhaitait de tout cœur se tromper, elle était sûre, désormais, que l'incendie n'était pas un accident. Une image la tourmentait encore davantage : celle d'Olga sur son lit d'hôpital, entre la vie et la mort, simplement parce qu'elle possédait l'Œuf de lune. Cet Œuf de lune dont Faye lui avait demandé avec insistance de révéler l'existence.

Elle erra dans son appartement, constata que le panneau d'affichage était de travers, le redressa, tapota les coussins de kilim qu'elle avait achetés dans le magasin de Pat pour tenter de rendre son vieux divan un peu plus présentable. Elle pensa à Peter, si jeune, si confiant, qui lui avait raconté l'histoire d'Olga et s'en était remis à elle pour la suite. Elle s'était servie de lui, toute à son bonheur de tenir enfin un bon sujet qu'elle traiterait seule, de bout en bout, pour son plus grand profit professionnel. Elle avait rassuré le jeune homme, lui affirmant qu'Olga ne risquerait rien. Et à présent, le feu.

Elle ajusta sa robe longue de velours noir et, tout d'un coup, se décida.

Elle n'en avait pas vraiment envie, mais il le fallait. Elle devait absolument téléphoner à Jack McCord, au FBI, pour lui faire part de ses craintes. Avant qu'il n'y ait une autre victime.

69

Debout au bas du grand escalier du Metropolitan Museum of Art, sur la Cinquième Avenue, Faye contemplait la massive structure de granit qui se découpait contre le ciel d'un bleu très pur avec, de chaque côté, la teinte brun grisâtre de Central Park. De longues bannières de couleurs vives claquaient au vent d'hiver, annonçant les expositions spéciales proposées par le musée. Sur l'une d'elles, de couleur pourpre, on pouvait lire : « Les Romanov, histoire d'une dynastie. » Faye se promit d'y jeter un œil après la conférence de Clifford Montgomery.

New York, songea-t-elle, était vraiment une cité magique. Si vivante, si intense. Pourrait-elle vraiment s'habituer à l'existence paisible d'une petite ville ?

Elle escalada les marches d'un pas vif, pressée de se retrouver à l'intérieur.

Dans le hall principal, des directeurs de musée venus d'un peu partout laissaient leur manteau au vestiaire, échangeaient quelques propos avec les bénévoles chargés de l'accueil et étudiaient leur programme, ne sachant quels trésors aller admirer en premier. On sentait dans l'air une excitation singulière, liée au privilège de pouvoir approcher les objets d'art les plus rares et les plus célèbres du monde.

A l'accueil, un homme aux cheveux gris indiqua à Faye le chemin de la salle de conférences. Après s'être débarrassée de son manteau, elle traversa un long vestibule orné de statues grecques et romaines avant de descendre les escaliers menant à l'auditorium. La pièce était bondée et Clifford Montgomery avait déjà commencé à parler.

— La falsification d'œuvres d'art est aussi ancienne que l'art lui-même. Elle remonte à plus

156

de cinq mille ans, époque où l'homme a commencé à créer. Il ne se passe pas de mois sans que circule dans le monde de l'art le récit d'une fraude fabuleuse ou d'une mystification dont la victime, amateur de bonne foi, a acheté pour une somme astronomique une imitation parfaite, mais une imitation tout de même.

Montgomery poursuivit son exposé passionnant d'une voix égale. Utilisant des diapositives, il montra à l'assistance des exemples de falsifications célèbres à travers les âges. Certains passages de la Bible étaient des faux. Au XIVe siècle, un faussaire avoua avoir fabriqué le suaire de Turin, ce qui ne fut scientifiquement prouvé que dans les années 1990. On savait que Renoir copiait certains de ses meilleurs tableaux et les vendait comme des originaux quand il avait besoin de mettre du beurre dans ses épinards. Il existait des centaines de cas similaires.

— Mesdames et messieurs, conclut enfin Montgomery, je vous laisse méditer cette phrase d'Horace qui, il y a bien longtemps, résuma parfaitement le problème : « Celui qui côtoie mille œuvres d'art côtoie mille faussaires ».

L'assistance applaudit avec enthousiasme ce qui, Montgomery ne le cacha pas, lui alla droit au cœur.

— Des questions ? demanda-t-il.

— Pourriez-vous faire un commentaire sur la multiplication de faux Fabergé ?

Faye, installée au fond de la salle, savait qu'elle mettait les pieds dans le plat et qu'il n'aimerait pas ça. Mais elle admira son sang-froid, sa courtoisie. Il but une gorgée d'eau, eut un sourire aimable.

— Bien sûr. Voilà une excellente question, tout à fait d'actualité depuis l'intérêt suscité par la vente chez Churchill's, pour six millions de dollars, du légendaire Œuf de lune, sans compter la présence de nombreuses pièces de Fabergé dans l'exposition qui a lieu ici même, au Metropolitan. On copie et on imite Fabergé depuis des années. Jusqu'à une époque récente, les faussaires prenaient pour modèles des photographies publiées dans des livres d'art. Mais les collectionneurs avertis ne se laissaient pas abuser. Les œuvres de Fabergé étant uniques, tout objet en double ne pouvait être qu'un faux.

« Aujourd'hui, les choses sont devenues préoccupantes. Les sommes astronomiques récemment atteintes par les pièces de Fabergé et la découverte des véritables carnets de croquis du joaillier ont stimulé les faussaires. Des contrefaçons réalisées à Saint-Pétersbourg ou à New York ont atteint une perfection inégalée. Nombre d'acheteurs honnêtes, y compris des directeurs de musée, ont été dupés. La mise en circulation de faux Fabergé constitue désormais une source considérable de revenus pour certains escrocs. »

Montgomery cherchait-il à la provoquer ? se demanda Faye. Ou avait-il au contraire, en l'invitant à sa conférence, l'intention de la convaincre qu'il n'avait rien à cacher ?

70

N'ayant, cet après-midi là, aucun rendez-vous prévu à Spun Gold Interiors, Stacey alluma le poste de télévision installé dans son bureau pour regarder, sur QVC, l'émission de Joan Rivers. Elle adorait Joan Rivers qui, à son goût, n'apparaissait pas assez souvent sur le petit écran. Elle raffolait surtout de ses bijoux.

Bien sûr, ce n'était que de la camelote, mais si bien faite que le bijoutier le plus scrupuleux s'y serait laissé prendre. Stacey s'était d'ailleurs procuré certains objets provenant de l'émission. Pourtant, elle n'aurait jamais admis en public qu'elle regardait QVC.

Elle aimait particulièrement les bijoux inspirés des dessins de Fabergé. Joan était une inconditionnelle de ces œuvres. Des années plus tôt, son mari Edgar lui avait offert un collier qui, fabriqué dans les ateliers du célèbre joaillier, avait jadis appartenu à l'impératrice Marie de Roumanie. Joan en avait fait faire une copie, permettant à son public d'admirer la réplique du petit œuf d'émail qui, serti de pierres précieuses, pendait au bout d'une chaîne d'or.

Stacey avait toujours rêvé de se procurer l'original. Elle se sentait faite pour porter, non du toc, mais des bijoux véritables. Ce désir s'était accentué lorsqu'elle avait suivi les cours de joaillerie de Churchill's. Un objet, en particulier, l'obsédait : le croissant de Nadine Paradise. Porter cette broche magnifique lui donnerait, pensait-elle, une allure de reine. Elle se consolait en se disant que si elle utilisait bien ses cartes, si elle faisait durer sa relation avec Victor, elle posséderait un jour de vrais Fabergé en quantité. Ceux de Nadine.

Le bruit de la porte d'entrée la fit sursauter. Elle se leva, gagna la salle d'exposition en lissant ses cheveux.

Elle aperçut, au-delà de la femme qui se tenait dans l'encadrement de la grande porte-fenêtre, un coupé Mercedes garé devant le magasin. Elle offrit à la visiteuse son sourire le plus éclatant.

— Puis-je vous être utile ?

La femme lui expliqua qu'elle venait de s'installer en ville, où elle avait acheté, sur Winter Ways, une demeure de style colonial. Aussitôt, Stacey vit des dollars danser devant ses yeux. Consultant leurs agendas respectifs, les deux femmes prirent rendez-vous pour que la décoratrice aille jeter un coup d'œil sur la maison.

— Permettez-moi de vous demander quelque chose, lui dit sa nouvelle cliente au moment de s'en aller. J'ai toujours habité Manhattan. Est-on en sécurité, ici ? Les habitations sont si retirées, si isolées...

Son inquiétude n'échappa pas à Stacey.

— Ne vous tracassez pas, lui répondit-elle. Les policiers, ici, sont merveilleux. Ils patrouillent sans arrêt. De toute façon, tous les résidents que je connais ont un système d'alarme. Mais je vais vous confier un petit secret, ajouta-t-elle dans un murmure, cherchant à gagner la sympathie de la nouvelle venue. J'ai ma protection personnelle.

71

— Faye n'est pas dans son bureau pour l'instant. Puis-je prendre un message?

— Elle m'a demandé de la rappeler.

— Est-ce en rapport avec le reportage sur lequel elle travaille?

— Oui.

— Les faux objets d'art?

— A qui ai-je l'honneur? demanda l'agent spécial McCord.

— B.J. d'Elia, à l'appareil. Je travaille avec Faye sur le sujet.

— Très bien. Pourriez-vous, s'il vous plaît, lui dire que Jack McCord, du FBI, a rappelé?

— Je vous garantis qu'elle aura votre message, mentit de nouveau Dean Cohen avant de raccrocher.

72

Faye pensa que des images de l'exposition sur les Romanov au Metropolitan Museum nourriraient son reportage sur l'Œuf de lune. Pendant que B.J. mettait en place son matériel, elle arpenta les vastes salles aux hauts plafonds, repérant les objets qu'elle souhaitait filmer. Elle tomba en arrêt devant un grand portrait des enfants de Nicolas II et d'Alexandra : les quatre ravissantes filles Romanov et leur frère cadet Alexeï, héritier hémophile de ce trône tragique.

Leur expression était innocente, confiante, sans le moindre pressentiment du destin brutal qui les attendait.

Un autre tableau, représentant le tsar et sa chère tsarine, frappa Faye. Cet homme avait, des années plus tôt, commandé l'Œuf de lune pour l'offrir, le jour de Pâques, à son épouse. A l'autre bout du monde, ce geste de l'empereur de Russie pesait à présent sur sa propre existence. Et sur celle de beaucoup d'autres.

Un éventail en plumes d'autruche, ornement d'une toilette portée lors d'un bal au Palais d'hiver. Une robe du soir constellée de diamants, d'émeraudes, de saphirs. Des jumelles de théâtre de nacre, des épées de bronze incrustées de rubis. Des objets religieux, des icônes, des croix, des calices d'or. Et des bijoux : boucles d'oreilles, tiares et bracelets portés pendant trois siècles par les Romanov, maîtres de toutes les Russies. Pendant ce temps-là, quatre-vingt pour cent de leurs sujets, paysans ou ouvriers, croupissaient dans la misère. La Russie était mûre pour la révolution.

Des visiteurs suivaient les faits et gestes de Faye et de B.J., curieux de savoir ce que faisait là cette équipe de télévision. Une femme de haute taille, vêtue avec recherche, s'approcha de la journaliste.

— Excusez-moi. Ne vous ai-je pas rencontrée récemment au dépôt-vente du New Jersey ?

Après quelques instants de réflexion, Faye la reconnut. C'était la femme qui était entrée dans le magasin en compagnie de Victor Paradise.

— Stacey Spinner, précisa-t-elle. Le monde est petit, n'est-ce pas ?

— Oh, oui. Je me souviens de vous. Je suis ravie de vous revoir, bien que Pat n'ait guère eu le temps de nous présenter. Êtes-vous une « fan » des Romanov ? demanda poliment Faye.

— Oui. En fait, je m'intéresse à l'histoire russe. Mais je suis surtout venue voir les œufs de Fabergé. Il s'agit de la plus grande collection d'œufs impériaux jamais rassemblée. Vous le saviez ?

— On me l'a dit. Lequel vous semble le plus intéressant ?

Question purement formelle : il y avait dans la voix de Faye autant de curiosité que si elle avait sollicité l'avis de la première clocharde venue.

— Celui que je préfère, c'est l'Œuf de pensée. Le trésor qu'il contient, ces petits cadres en forme de cœur renfermant des miniatures des enfants impériaux en compagnie de leurs parents, de leurs oncles et tantes, est tout à fait remarquable.

— Alors, il faudra que nous le filmions.

— Je n'ai pas saisi votre nom le jour de notre rencontre au dépôt-vente...

— Faye Slater.

— Et que faites-vous exactement, sans vouloir être indiscrète ?

Cette femme allait-elle bientôt la laisser en paix ?

— Je suis journaliste à KEY News.

— Mais c'est fascinant, s'écria Slater, réellement impressionnée. Et vous faites un reportage sur cette exposition ?

163

— En fait, rétorqua Faye à bout de patience, nous travaillons sur un sujet relatif aux faux en œuvres d'art.

Elle regretta aussitôt de s'être laissée aller à cette confidence devant une femme qu'elle ne connaissait pas.

73

Bien après le départ d'Eliza Blake et des autres membres de l'équipe de « A la une ce soir », Richard Bullock, seul dans l'aquarium, prit connaissance des derniers indices d'écoute. Ceux de KEY News étaient en baisse.

Aux yeux de Richard, il n'y avait qu'une raison à cela : l'argent. Ou, plutôt, le manque d'argent.

A chacune des interminables réunions budgétaires, Yelena Gregory, présidente de KEY News, martelait le même message : faites des économies. Cela signifiait moins de reporters, de correspondants ou d'équipes de tournage sur le terrain, l'utilisation de vidéos passe-partout et de qualité douteuse, le refus de payer des notes d'hôtel aux professionnels qu'on aurait pu envoyer couvrir un événement d'importance, le coût d'un reportage primant sur l'intérêt qu'il représentait. Ainsi renonçait-on à des sujets porteurs, uniquement parce qu'ils revenaient trop cher.

Bullock pensa au sujet « Fabergé », sur lequel travaillait Faye. Si elle arrivait à prouver la réalité de ce qu'elle soupçonnait, son reportage ferait les gros titres de « A la une ce soir ». D'autant que, se déroulant entièrement à New York, il n'occasionnerait que des frais minimes.

Richard eut tout d'un coup envie de revoir, sans attendre le lendemain, la vidéo sur l'œuf Fabergé. Il lui suffisait de gagner le bureau de Faye, de s'assurer qu'il était ouvert et de trouver la cassette.

Situé au second étage, le bureau n'était pas inoccupé. Richard tomba sur Dean Cohen, assis à la table de la jeune femme. Levant les yeux, le journaliste rougit en voyant la silhouette de son patron dans l'encadrement de la porte.

— Je viens de recevoir un appel à l'intention de Faye et je m'apprêtais à lui laisser un message, dit-il.

Richard hocha la tête. Il marcha vers le bureau de la journaliste, fouilla la boîte de vidéos en évidence sur la table, puis les étagères alignées contre le mur.

— Je peux vous aider? proposa Dean.

— Non. Je cherche juste un enregistrement que Faye m'a montré l'autre jour.

— Sur quoi? demanda Dean d'une voix volontairement neutre.

— Une histoire de faux en œuvres d'art, sur laquelle elle travaille.

74

Vendredi de la seconde semaine du Carême

Dean Cohen paya à la caisse son café et son petit pain. Les employés de KEY ne cessaient de brocarder leur cafétéria. Pourtant, la plupart y prenaient souvent leur repas. C'était commode, rapide et relativement bon marché.

Tout en grappillant quelques serviettes en papier près des condiments, Dean remarqua Faye et B.J., assis non loin de lui. Penchés l'un vers l'autre, ils semblaient en grande conversation. Dean se demanda si Faye avait découvert qu'il avait intercepté le message de l'agent du FBI. Il pensait que non.

Il quitta précipitamment la cafétéria, prit l'ascenseur qui le mena aux bureaux du deuxième étage de « A la une ce soir ». Il avait besoin de passer quelques minutes seul dans le sien avant le retour de Faye. Lorsque les portes de l'ascenseur s'ouvrirent, il tomba nez à nez sur Richard Bullock, qui attendait la cabine.

— Salut, Dean. Des problèmes ?

— Pas encore, patron, mais la journée ne fait que commencer.

— Tout juste. Qui sait ce qu'aujourd'hui nous réserve ? Un autre attentat terroriste, un autre scandale politique...

Bullock hocha la tête.

— J'ai l'impression que je deviens trop vieux pour tout ça.

Dean éclata de rire.

— Je garderai le secret, Richard.

Bullock rit à son tour en pénétrant dans l'ascenseur.

— A propos, tu m'as promis un nouveau scoop pour « L'Amérique à la loupe ».

— Ne t'inquiète pas, Richard. Je tiens un bon coup. Je t'en parlerai quand il sera tout à fait au point.

Bullock leva le pouce dans sa direction au moment où les portes se refermaient. Dean continua à lui sourire. En fait, il n'en menait pas large. Il n'avait rien de prêt pour « L'Amérique à la loupe ». Cette rubrique, qui fermait « A la une ce soir », était, avec celle qui faisait le gros titre du journal, une des plus cotées. Un bon reportage assurait à son auteur l'estime de tous les réalisateurs et producteurs. Dean, à une époque, avait fait des merveilles. Mais son inspiration, depuis quelques temps, se tarissait. Or, KEY News ne connaissait qu'une seule loi : *Tu ne vaux que ce que valait ton dernier sujet.*

Une fois dans son bureau, il se dirigea vers la place de Faye, parcourut de nouveau le bloc-notes de la jeune femme.

« Olga. Œuf. Vidéo. Incendie ? »

Ses doigts tâtonnèrent sous la table, rencontrèrent la boîte métallique noire aimantée. D'une main tremblante, il fit coulisser le couvercle et saisit la petite clé d'aluminium.

Lorsque Faye regagna son bureau, quelques minutes plus tard, la cassette contenant les images de l'Œuf de lune d'Olga était déjà au fond de la serviette de Dean.

75

Il n'était pas rare que Meryl travaille le samedi, surtout avant une vente aux enchères destinée à faire date. Mais il lui arrivait rarement de recevoir des coups de téléphone du FBI pendant le week-end.

— Mademoiselle Quan, la liste des fournisseurs et des acheteurs d'objets Fabergé que vous m'avez fournie contient une omission de taille, déclara sèchement l'agent spécial McCord.

Son ton menaçant intimida la jeune femme.

— En quoi puis-je vous aider, monsieur McCord ?

— Vous me seriez très utile en me dévoilant le nom de la personne qui a déposé l'Œuf de lune chez Churchill's pour qu'il soit mis en vente.

— Elle n'était pas sur la liste ?

— Mademoiselle Quan, ne jouez pas au plus fin avec moi et ne vous payez pas ma tête. Non, le nom de cette personne ne figurait pas sur la liste. Et si Churchill's ne coopère pas avec moi, je me verrai forcé d'employer la contrainte.

Meryl réfléchit très vite. McCord n'aurait aucun mal à obtenir une assignation à comparaître. Pourquoi Montgomery n'avait-il pas inclus le nom sur la liste qu'il avait remise au FBI ? Cela donnait le sentiment qu'il cachait quelque chose. Cherchait-il à gagner du temps ?

— J'en parlerai à monsieur Montgomery et je ferai mon possible, monsieur McCord.

— Vous m'obligeriez en agissant sans tarder, mademoiselle Quan. J'attends votre coup de fil.

Il raccrocha, laissant la jeune femme soucieuse. Le FBI, d'ordinaire, obtenait ce qu'il désirait. Elle ne tenait pas à se mettre l'agent à dos.

Elle frappa à la porte de Clifford. Il feuilletait l'épais catalogue illustré de la vente de la collection de Nadine Paradise, où figuraient tous les souvenirs de l'existence mouvementée de la danseuse étoile. On avait photographié chaque objet sous son meilleur angle : affiches des Ballets russes, programmes de ses plus prestigieuses performances, chaussons de satin roses, partitions annotées de sa main et esquisses de décors, costumes portées par Nadine dans *La Belle au bois dormant* ou *Le Lac des cygnes*...

Mettre en vente une telle collection constituait un coup fabuleux, qui rapporterait à Churchill's une petite fortune en commissions et en publicité.

— Nous allons, la semaine prochaine, proposer aux acheteurs des objets d'une valeur inestimable, Meryl. La vente Paradise cadre à merveille avec notre mois consacré à la Russie. Le service de presse m'a fait savoir que les différents médias ne cessaient d'appeler pour couvrir l'événement. Un triomphe en perspective.

Il avait l'air satisfait, moins préoccupé, nota Meryl, que les jours précédents. Elle s'en voulut d'assombrir cette bonne humeur.

— Le FBI vient de téléphoner.

— Et?

— Le nom de la personne qui nous a confié l'Œuf de lune ne figurait pas sur la liste que nous leur avons communiquée.

— Il n'y figurait pas?

— Pas si l'on en croit l'agent McCord. Il le veut le plus tôt possible. Sinon, il se fera délivrer une assignation à comparaître.

Clifford ne parut pas perturbé outre mesure.

— Je m'en occupe, dit-il.

Puis, comme la jeune femme restait debout devant son bureau :

— Autre chose, Meryl?

— En fait, oui, répondit-elle d'une voix mal assurée. L'histoire de cet Œuf de lune me met mal à l'aise. En premier lieu, KEY News vient ici sans dissimuler ses soupçons. Ensuite, le FBI s'en mêle et c'est moi qu'il appelle. Je ne voudrais pas, si on venait à découvrir quelque chose de louche à ce sujet, m'y retrouver impliquée.

Montgomery la dévisagea sans répondre.

Meryl rassembla tout son courage et poursuivit :

— Ce que j'essaie de vous dire, Clifford, c'est que je crois... Enfin, je ne crois pas que nous puissions continuer à ignorer les médias et le FBI. L'agent McCord attend un coup de fil de ma part et je donne l'impression de jouer un rôle dans cette affaire.

Seul le battement d'une veine minuscule contre sa tempe traduisit l'agacement de Clifford.

— Je vous ai dit que j'allais m'en occuper, répliqua-t-il d'un ton cassant.

170

Il s'efforça, ensuite, d'adoucir sa voix.

— Ma chère Meryl, ne vous faites aucun souci. Vous n'avez rien à voir avec quoi que ce soit. Churchill's a garanti l'anonymat à l'acheteur et au vendeur. Toute la vente repose sur notre capacité à tenir cette promesse. Vous ne risquez absolument rien – tant que vous resterez en dehors de tout cela.

76

Troisième dimanche de Carême

Les murs de la chambre silencieuse accentuaient l'écho de la respiration d'Olga sous le masque à oxygène. Sans faire de bruit, Pat et Faye s'étaient assises près de son lit.

— Je m'efforce de venir tous les jours, murmura Pat. J'espère qu'elle devine ma présence.

— On prétend que les personnes plongées dans le coma perçoivent jusqu'à un certain point ce qui se passe autour d'elles, répondit Faye pour rassurer son amie. Je suis sûre qu'Olga sent ton énergie, ta sollicitude, et que cela l'aide.

Les deux femmes contemplèrent la frêle silhouette enfouie sous les draps. Elles se turent lorsque l'infirmière entra pour vérifier le fonctionnement des organes vitaux de la vieille dame et consigner ses observations sur son graphique. Tout de suite après son départ, Pat brisa le silence.

— Tu es une perle, Faye, de venir jusqu'ici. Tu te comportes en véritable amie.

— C'est le moins que je puisse faire.

— Tu ne connais même pas Olga.

Faye avait envie de se délivrer de ce qui l'obsédait, de dire la vérité à Pat sur l'Œuf de lune, lui avouer qu'elle l'avait filmé juste avant l'incendie. Mais elle se souvint de la promesse qu'elle avait faite à Peter. C'était à lui de tout révéler à sa mère.

Alors qu'elles s'apprêtaient à s'en aller, Faye proposa à Pat de dîner avec elle.

— Ce serait avec joie, mais j'ai un rendez-vous professionnel.

— Un dimanche?

— Oui. Je passe la semaine et le samedi au magasin. Je dois donc m'occuper de mes autres affaires le soir ou le dimanche.

— Alors, laisse-moi venir avec toi. Nous dînerons ensuite. Puis je reprendrai le bus pour Manhattan.

Dans le couloir, elles croisèrent Charlie Ferrino. Pat le présenta à Faye.

— C'est vraiment gentil à vous de rendre visite à Olga, Charlie, dit la jeune femme en lui touchant le bras.

— J'ai un faible pour elle. Elle me cause bien du souci. Elle ne va pas si bien que ça, hein?

— Non, pas vraiment, répondit Pat avec un pauvre sourire.

Elles laissèrent Charlie, reprirent leur marche.

— Tu as vu comment ce type te regardait? murmura Faye. Il a un gros béguin pour toi.

— Charlie ? s'écria Pat avec un rire incrédule. C'est simplement l'épicier du coin. La crème des hommes. Nous nous connaissons depuis des années.

— Je te dis qu'il est dingue de toi, insista Faye.

La Volvo de Pat quitta le parking de l'hôpital et s'engagea sur Old Hook Road, avant de traverser Westwood en escaladant la côte escarpée de Washington Avenue, en direction de Saddle River. Les modestes pavillons cédèrent peu à peu la place à de luxueuses maisons entourées de parcs boisés. La voiture pénétra dans l'allée qui menait à une splendide demeure de style Tudor.

— Qui habite là ?

— Nadine Paradise.

— La danseuse étoile ?

— Oui. La légende. Et la mère de ce Victor Paradise qui est venu au dépôt-vente en compagnie de Stacey Spinner, pour exiger de façon si courtoise que je lui dévoile la provenance de la broche en forme de croissant que sa mère venait d'acheter chez Churchill's.

Faye dévisagea son amie.

— Elle appartenait à Olga, n'est-ce pas ?

La jeune femme hocha silencieusement la tête.

— Et maintenant, Nadine Paradise en personne va essayer de me convaincre de lui révéler le pot aux roses. Elle m'a presque suppliée de passer chez elle aujourd'hui.

— Tu vas tout lui dire ?

— Je n'en suis pas si sûre.

77

Précédant les deux jeunes femmes, Nadine leur fit traverser la bibliothèque jusqu'à la serre. Elle contourna le piano quart de queue, leur indiqua deux fauteuils en rotin aux coussins à fleurs, entourant une causeuse assortie. Au centre, sur une table oblongue aux pieds de cuivre, le thé les attendait.

La pièce était déjà occupée. Faye nota que la silhouette massive de Victor Paradise ne paraissait pas à sa place au milieu des plantes délicates et de la porcelaine de Chine qui l'entouraient. Il se leva à l'entrée des trois femmes. Nadine fit les présentations.

— Vous vous souvenez de mon fils, madame Devereaux. Victor, voici mademoiselle Slater, une amie de madame Devereaux. Aurais-tu l'amabilité, ajouta-t-elle tandis qu'elles prenaient place, d'aller nous chercher des serviettes ? S'il n'y en a plus dans le bar de la bibliothèque, tu en trouveras dans la salle à manger.

Victor se savait congédié. Il quitta la pièce au moment où sa mère commençait à raconter son histoire. Elle s'adressait plus particulièrement à Pat, ce qui n'empêcha pas Faye de suivre son récit à la fois avec passion et d'une oreille toute professionnelle.

— Vous comprenez pourquoi, conclut Nadine, je dois savoir qui a vendu la broche. Je suis persuadée que cette personne a, d'une façon ou d'une autre, un rapport avec moi. Mon père, que je n'ai jamais connu et qui m'a manqué toute ma vie, a fabriqué ce bijou à l'intention de ma mère.

Faye scruta le visage de cette légende vivante, toujours splendide dans la lumière de fin d'hiver qui filtrait à travers les fenêtres de la serre. Maquillé avec soin, il n'offrait, au premier abord, que peu de ressemblance avec celui, ridé, de la vieille dame gisant sur son lit, à quelques kilomètres de là. Mais ses mains, si expressives, rappelaient à d'y méprendre les mains délicates posées sur la couverture bleue de la chambre d'hôpital. Des mains d'artiste ; des mains que les deux femmes auraient très bien pu hériter d'un joaillier travaillant dans les ateliers Fabergé.

Faye consulta son amie du regard. Commettrait-elle une faute en lui révélant que la broche avait appartenu à Olga ? Puisque Olga se mourait, ce serait peut-être la dernière chance, pour Nadine Paradise, de se réconcilier avec son passé.

Pat avait dû penser la même chose.

— Madame Paradise, dit-elle doucement, en ce moment même, une femme très mal en point lutte contre la mort à l'hôpital de Pascack Valley. La broche en forme de croissant lui appartenait. Elle la tenait de son père, qui l'avait fabriquée.

Nadine l'écouta avidement lui dévoiler ce qu'elle savait de la vie d'Olga. Son enfance à Saint-Pétersbourg, assombrie par la révolution et la mort de sa mère. Son père, joaillier chez Fabergé, brisé par son deuil et incapable de quitter son pays natal. La fuite d'Olga, son émigration aux États-Unis, sa paisible existence à Westwood, financée par la vente régulière d'œuvres créées par son père.

175

— Tout s'agence à merveille, murmura l'ancienne danseuse étoile, les yeux remplis de larmes. Olga est sans doute ma demi-sœur... J'ai besoin de temps pour me faire à cette idée.

— Bien sûr.

Victor s'éclaircit la gorge avant de pénétrer dans la serre avec, au creux de la paume, trois petites serviettes de lin.

— Tu avais raison, mentit-il à sa mère. J'ai dû aller les chercher dans la salle à manger. J'espère que je ne vous ai pas empêchées de déguster votre thé.

— Nous allions partir, répliqua Pat.

Faye et elle se levèrent. Mme Paradise les accompagna jusqu'au vestibule.

— Qu'elle est belle ! s'exclama Pat, tombant en arrêt devant une superbe écharpe turquoise abandonnée sur une petite table.

Nadine s'en empara aussitôt et la lui tendit.

— Prenez-la, chère amie, je vous en prie.

— Je ne peux accepter, vraiment...

— S'il vous plaît, j'insiste. Gardez-la en souvenir du jour où vous avez rendu une vieille femme profondément heureuse.

78

Lundi

Plusieurs jours s'étaient écoulés depuis qu'elle avait téléphoné à Jack McCord et elle n'avait aucune nouvelle de lui. Ce lundi matin, Faye décida d'essayer de le joindre à nouveau. Elle attendit que Dean ait quitté leur bureau.

— Merci de votre coup de fil, lança-t-elle d'une voix sarcastique. Je sais, maintenant, que la sécurité de mon pays se trouve en de bonnes mains.

— Mais je vous ai rappelée, protesta McCord. Votre collègue m'a affirmé qu'il vous transmettrait mon message accusant réception de votre coup de téléphone. J'ai l'impression que l'organisation de KEY News laisse à désirer.

— Je n'ai pas eu ce message. A qui l'avez-vous laissé?

— A un type dont le nom commence par des initiales.

Jack feuilleta des papiers sur son bureau.

— B.J.?

— Tout juste. J'ai son nom sous les yeux. Il m'a dit qu'il travaillait avec vous sur le sujet Fabergé.

« Jamais B.J. n'aurait oublié de me transmettre un message, pensa Faye. Et il ne pénètre pas dans mon bureau en mon absence. »

— Bref, de quoi vouliez-vous me parler? demanda McCord.

Sans lui révéler l'identité d'Olga, Faye lui fit part de ses soupçons à propos de l'incendie.

— Résumons-nous. Vous harcelez une vieille dame pour qu'elle vous laisse filmer un objet qu'elle détient de façon illégale et elle finit dans le coma après un incendie sans doute provoqué.

— C'est tout à fait exact. En plus, alors qu'elle vivait dans la peur, sa porte n'était pas fermée à clé au moment où le feu s'est déclenché.

— Ne pensez-vous pas qu'il serait temps que vous me donniez son nom et son adresse ?

— Je ne peux pas.

— Vous ne pouvez pas, ou vous ne voulez pas ?

Faye réfléchit très vite. Grâce aux ordinateurs du FBI, Jack n'aurait aucun mal à prendre connaissance des incendies survenus dans le pays pendant une période donnée. En cherchant plus loin, il aboutirait au chef des pompiers de Westwood qui, soucieux de se mettre bien avec les fédéraux, lui communiquerait volontiers l'identité d'Olga.

En livrant à McCord l'information qu'il lui demandait, Faye pourrait, de son côté, espérer une faveur en retour. S'il apprenait, au cours de son enquête sur « Fauxbergé », quelque chose qu'il voudrait rendre public, peut-être, pour la remercier, passerait-il par elle ?

Elle lui dit tout.

— Merci, répondit-il d'une voix purement professionnelle.

— Votre gratitude me comble, rétorqua-t-elle sur le même ton. Vous pouvez au moins m'aider en ceci : quelles conséquences juridiques Olga risquerait-elle d'affronter en révélant publiquement qu'elle détient le véritable Œuf de lune ?

— Eh bien... Disons qu'il ne s'agit pas d'un « pillage de guerre ». La révolution russe fut une guerre civile, non un conflit entre deux pays souverains. Mais si les Russes apprenaient qu'Olga possède un œuf impérial dérobé à Saint-Pétersbourg, dans les ateliers Fabergé, en 1917, ils pourraient porter plainte devant un tribunal fédéral américain. Un juge désignerait alors le véritable propriétaire.

— Quelles sont les probabilités de ce scénario ?

— Quasiment nulles. En plus, d'après ce que vous me dites, la vieille demoiselle a vraiment d'autres soucis.

79

Robbie Slater s'attabla, en compagnie de sa sœur, dans la cafétéria de KEY News, devant un plateau qui n'avait rien de diététique : un épais sandwich à la viande froide, une grosse barquette de frites et un soda orange.

— Navré pour toi, sœurette.

Faye eut un petit rire en posant sur la table sa laitue, sa salade de thon et ses carottes râpées. Elle remarqua que la calvitie de son frère avait progressé depuis la dernière fois qu'elle l'avait vu. Son front, si vulnérable, s'agrandissait de jour en jour.

— Toujours au régime, à ce que je vois.

— Tu es jalouse, c'est tout. Tu te soucies à nouveau de ta silhouette ? Quelqu'un de nouveau dans ta vie ? Est-ce pour cette raison que tu ne réponds jamais à mes messages ? En fait, tu as l'air particulièrement en forme, aujourd'hui.

— Tu te goures, Robbie. Toujours la même routine. Mais j'ai été très occupée, c'est vrai.

Elle ne tenait ni à lui parler de Jack McCord, ni à l'impliquer dans l'affaire de l'incendie d'Olga et de l'Œuf de lune. Surtout, elle refusait de lui avouer qu'elle était renvoyée de KEY News. Elle ne voulait pas qu'il se fasse de souci.

— Dis-moi ce qui t'accapare à ce point, demanda Robbie en mordant dans son sandwich.

— Une histoire de faux en œuvres d'art. J'aimerais en faire un sujet pour « L'Amérique à la loupe ». Et toi, comment ça va ? ajouta-t-elle pour changer de sujet.

— On ne peut mieux. Mon job à la vidéothèque me plaît. Je suis sidéré par tout ce qui nous parvient. Également par tout ce qu'on filme sur un événement et le peu qui passe à l'antenne. J'adore visionner les rebuts. En plus, on me fiche une paix royale. Je travaille à mon propre rythme et mon patron ne s'en plaint pas.

— C'est parce que tu fais du bon boulot et qu'il est conscient de la chance qu'il a de pouvoir se reposer sur toi, hasarda Faye, toujours soucieuse d'affermir la confiance en soi chancelante de son frère.

— Parole de grande sœur.

— On ne peut rien te cacher.

— Je crois plutôt qu'étant donné mon salaire de misère, mes supérieurs n'attendent pas trop de moi et n'osent pas trop se plaindre.

— Arrête de te dévaloriser. J'ai horreur de ça.

Robbie jeta un coup d'œil à l'horloge murale et s'empressa d'aller vider son plateau dans la poubelle.

— Il faut que j'y aille, dit-il en retournant vers la table et en tapotant l'épaule de sa sœur. Fais-moi plaisir, veux-tu ? Arrête de t'inquiéter pour moi.

80

— Je me demandais si on m'accorderait le privilège d'une petite visite privée. Je connais par cœur les locaux publics de Churchill's pour m'être rendu si souvent à des ventes ou à des expositions, mais je serais curieux de voir ce qui se passe derrière le rideau.

Le récepteur sur son épaule, Meryl consulta son emploi du temps. Elle avait tout le loisir de consacrer une demi-heure à quelqu'un qui pourrait être utile à Churchill's. Se montrer polie et conciliante ne pourrait que favoriser les affaires de l'établissement.

— Bien sûr. Je serai heureuse de vous faire les honneurs de la maison. Quelle moment vous conviendrait?

— Je sais que je vous prends un peu au dépourvu, mais que diriez-vous de demain?

— Vous avez de la chance. Je dispose d'un peu de temps demain après-midi. Quinze heures?

— Parfait.

Meryl nota le rendez-vous.

81

Elle respirait calmement. Une inspiration, une expiration... Le masque à oxygène de plastique clair couvrait son nez et sa bouche.

Curieux comme une vieille chose ratatinée pouvait s'accrocher avec une telle ténacité. Il fallait au moins lui reconnaître ça : Olga n'avait aucune envie de mourir.

Seule consolation : la mine consternée du personnel hospitalier, le regard plein de compassion qu'on jetait à cette personne qui venait si souvent voir la malade et se montrait si patiente.

— Nombre de nos patients âgés meurent seuls. Il est agréable de constater qu'une dame de son âge reçoit autant de visites, déclara la blonde infirmière de nuit.

« Olga ; Olga, Olga. Pourquoi ne te laisses-tu pas aller, mon cœur, pourquoi ne décides-tu pas de partir par toi-même ? » Ce serait tellement mieux... Disparaître de son plein gré plutôt que contrainte et forcée.

82

Mardi

Faye attendait avec appréhension l'arrivée à KEY News de Jack McCord, qui désirait visionner la cassette sur l'Œuf de lune. Elle avait, ce matin-là, apporté un soin particulier à son maquillage et à sa toilette, choisissant son tailleur noir de Calvin Klein, des bas extra-fins de la même couleur et des escarpins à talons. B.J. flaira quelque chose.

— Il y a anguille sous roche, lui lança-t-il en la croisant dans le couloir.

— J'ai quand même le droit de me faire belle pour le plaisir...

— Non.

Elle haussa les épaules et passa son chemin. Puis elle se retourna, interpella B.J.

— Hé, vieux, merci de m'avoir fait la commission.

Il la regarda d'un air sidéré.

— Je parle du message du FBI.

— Depuis quand dois-je prendre tes messages?

— Tu n'as pas reçu celui de Jack McCord, du FBI?

— Non, ma belle. Ce devait être quelqu'un d'autre.

83

Tirant la porte de Churchill's, Tony accueillit par son nom le visiteur qui, après avoir laissé son manteau au vestiaire, fut annoncé par l'agent de sécurité posté à l'entrée du hall.

— Mlle Quan descend tout de suite.

— Merci.

Le visiteur fit les cents pas, attendant.

Meryl Quan apparut enfin au bas des escaliers, la main tendue.

— Quel plaisir de vous revoir. Je crois que nous allons commencer par les bureaux situés au dernier étage : services financiers, juridiques, etc. Ensuite, nous descendrons jusqu'à la galerie des bijoux et la salle de conférences du conseil d'administration. Nous terminerons par les coulisses, où nous entreposons les pièces que nous nous apprêtons à mettre en vente. Là se trouve également notre service de sécurité.

— Superbe.

Meryl guida le visiteur d'un étage à l'autre, à travers le labyrinthe des bureaux de Churchill's, lui expliquant leur fonctionnement.

— Fascinant, murmura-t-il, les yeux rivés sur les caméras de surveillance disposées dans les couloirs et l'encadrement des portes.

— Je raffole de ces coulisses, dit Meryl. C'est là que nous préparons les pièces pour la vente.

Elle l'entraîna à travers un dédale de salles où les objets, à même le sol ou sur des étagères, s'alignaient selon un ordre bien précis : meubles, bronzes, pièces d'argent et de verre, tapis… Accrochées en différents endroits du plafond, des caméras observaient chaque pièce. Le visiteur sentait son estomac se nouer.

— Mon Dieu, qu'est-ce que c'est que ça ?

Une porte ouverte révélait, en un fouillis organisé, ce qui ressemblait à des combinaisons de cosmonautes.

— Elles feront partie de l'exposition sur l'histoire spatiale de la Russie. C'est assez triste, en fait… Les Russes vendent leur propre histoire, uniquement pour survivre financièrement. Et voilà notre service de sécurité…

Assis devant la console, un garde gardait les yeux fixés sur la trentaine d'écrans de télévision couvrant le mur qui lui faisait face.

— Comme vous pouvez le constater, nous sommes très prudents.

— Impressionnant, déclara le visiteur.

— Nous arrivons au terme de la visite. Y a-t-il autre chose que vous désiriez voir en particulier ? proposa Meryl.

— Non, je crois que j'ai vu tout ce qui m'intéressait.

La jeune fille entraîna son hôte le long du couloir, jusqu'aux salles accessibles au public. Ils s'arrêtèrent un instant, bloqués par deux déménageurs qui enlevaient d'un énorme monte-charge une lourde table de salle à manger en chêne.

Le monte-charge. Il n'avait pas de caméra !

84

En accueillant Jack dans le grand hall de KEY News, Faye nota avec satisfaction qu'il la dévorait du regard. Il lui serra fermement la main, plongeant dans les siens ses yeux d'un bleu perçant.

— Je suis heureux que vous ayez décidé de partager vos informations avec nous, Faye.

Ainsi donc, il l'appelait Faye, et non plus Mlle Slater. Bon signe.

— L'incendie chez Olga a vraiment changé ma manière de voir. J'ai bien peur que quelqu'un, dans cette affaire, joue un jeu dangereux. Et je ne veux plus qu'il y ait d'autres victimes. Passons par mon bureau pour prendre la cassette. J'ai réservé pour vous une salle de visionnage.

— Je suis surpris de voir que les journalistes importants de KEY News doivent faire pièce commune avec un collègue, dit Jack en désignant le bureau, inoccupé pour l'instant, de Dean Cohen.

— Et moi donc ! J'en suis non seulement surprise, mais malheureuse. Non que j'aie besoin d'être seule pour travailler. De toute façon, je passe la plupart de mon temps sur le terrain. Mais il n'y a pas assez de place pour tout le monde. KEY News s'est considérablement développé depuis que nous nous sommes installés dans cet immeuble.

Elle déverrouilla le tiroir de son bureau et chercha la vidéo filmée par B.J. Sidérée, tout d'abord, puis fébrile, elle vida tout le contenu du tiroir.

— Ne me dites rien, ricana Jack. Elle n'est plus là.

— Elle ne peut qu'être ici. Je l'ai peut-être rangée ailleurs.

Tous les tiroirs du bureau se retrouvèrent bientôt renversés sur la table. Pas de cassette. Qu'allait penser McCord, cet agent si professionnel ? Curieusement, il ne parut pas trop consterné.

— Espérons qu'on la retrouvera. Dites-moi exactement ce qu'Olga vous a montré.

Faye lui décrivit en détail la boîte de velours jaune, ornée de lettres cyrilliques dont elle avait pu déchiffrer le sens (« Fabergé »), lui raconta comment la vieille dame l'avait ouverte pour en extraire l'œuf d'or et d'émail posé sur un nuage de pierres précieuses bleu nuit.

— Des lapis-lazuli ?

— Oui. Je crois que c'est ainsi qu'on les appelle. Jack, j'ai assisté aux enchères chez Churchill's. L'œuf d'Olga ressemblait à s'y méprendre à l'Œuf de lune mis en vente, sauf sur un point : le sien renfermait un trésor intact. Comme vous le savez, l'autre n'en avait pas.

— Quel genre de trésor ?

— Une pluie de diamants. Des diamants qui étincelaient. Olga m'a dit qu'il s'agissait d'une comète. Je ne suis pas experte, mais je mettrais ma main à couper qu'ils étaient authentiques.

Jack prit quelques notes sur son carnet. Faye croisa les bras sur sa poitrine.

— Quel est votre avis ?

— J'ai étudié les croquis de l'Œuf de lune faits chez Fabergé, Faye. Le trésor représentait une comète de diamants inspirée de la comète de Halley, apparue dans le ciel au début du siècle. D'après votre description, mon petit doigt me dit que vous avez vu le véritable objet.

— Conclusion ?

— Je crois que vous devriez laisser des professionnels se charger de ce cas. Il y a danger : vous nagez en eaux troubles.

La jeune femme sourit.

— Vous savez ce que je pense ?

— Vous allez me le dire, que je le veuille ou non.

— Très juste. Je crois que deux têtes valent mieux qu'une. En travaillant ensemble, nous pourrons élucider l'affaire. Votre cote, au FBI, montera au zénith et la mienne, ici, crèvera le plafond. Qu'en dites-vous ?

— Si vous voulez vraiment savoir la vérité, Faye, je préférerais de loin dîner en votre compagnie que travailler avec vous.

— C'est votre sentiment pour l'instant, Jack. Mais vous pourriez être amené à vous rendre compte que les deux scénarios sont tout à fait compatibles.

85

Mercredi

La mise aux enchères de la collection de Nadine Paradise constituait un événement de taille. Les gens adoraient tout ce qui touchait de près les célébrités, leur vie intime. Faye elle-même s'était rendue à l'exposition précédant la vente des effets du duc et de la duchesse de Windsor. Elle avait découvert avec émerveillement la recette du colorant spécialement mis au point par Élisabeth Arden et avec lequel la duchesse teignait ses cheveux en noir, ses centaines de gants, dont elle portait chaque jour une paire, ne dévoilant jamais ses mains qu'elle jugeait trop larges, et une boîte conservant un morceau du gâteau de mariage du couple, datant de 1937.

Elle était sûre de pouvoir réaliser un reportage fascinant sur cette collection. Elle filmerait les articles les plus intéressants lors de l'exposition préalable et, le vendredi, couvrirait les enchères elles-mêmes. Le reportage passerait sur « A la une ce soir » le vendredi.

Elle rédigea sur son ordinateur un résumé de son projet à l'intention de Richard. Le courrier électronique, se dit-elle, était vraiment une belle invention. Il lui permettait de s'exprimer tout en évitant la pénible pression d'un face à face avec son supérieur.

« Tu as carte blanche », lui répondit, par e-mail, le directeur de la rédaction.

« Allons-y », pensa Faye. La vente Paradise était un sujet en or. Mais, plus important encore, elle lui donnait l'occasion de retourner chez Churchill's.

86

Jeudi

Emmitouflée dans un manteau de fourrure, les mains protégées par un manchon assorti, une femme élégante sortit de la Mercedes qui venait de freiner devant Churchill's. Même s'ils ne la reconnurent pas tout de suite, les passants devinèrent d'instinct qu'ils avaient affaire à « quelqu'un ».

— Je vais garer la voiture, dit Victor Paradise à sa mère. Je te retrouve à l'intérieur.

— Merci, mon chéri.

Nadine s'arrêta un instant à l'entrée, pour échanger quelques mots avec le portier, ravi de la revoir.

— Comment va, Tony ?

— On ne peut mieux, madame Paradise.

— Toutes ces festivités russes ne vous épuisent pas ?

— Pas encore, madame.

Nadine détailla le costume de cosaque. Aussitôt, une idée lui vint.

— Tony, j'aimerais que vous participiez aux enchères de demain. Croyez-vous qu'il vous sera possible de vous placer dans la salle, à côté de l'estrade ? Cela donnera à la vente une touche exotique.

— Certainement, madame Paradise. Je suis à votre disposition et à celle de monsieur Montgomery.

Elle glissa un billet dans la paume du portier.

— Cela m'a fait plaisir de vous voir, Tony.

— Merci, madame Paradise.

Dans le hall, Clifford Montgomery et Meryl Quan accueillirent la danseuse étoile avec chaleur.

— J'espère que notre façon de disposer vos merveilleux objets vous plaira, déclara Montgomery d'une voix pleine de sollicitude. Nous sommes si heureux d'avoir le privilège de pouvoir exposer ces trésors.

Tous trois pénétrèrent dans la galerie où les curieux, attirés par les vestiges du passé de Nadine, côtoyaient les équipes de télévision en plein travail. Aux murs, des agrandissements de photographies de Nadine dans *Shéhérazade*, *L'Oiseau de feu* et *Le Sacre du printemps*, semblaient veiller sur les objets soigneusement alignés qui allaient bientôt être mis en vente. Des projecteurs éclairaient des projets de décors à l'aquarelle et des dessins de figures chorégraphiques, qui étaient des œuvres d'art en soi. Les coiffures de perles et de plumes qu'avait jadis portées la ballerine sur toutes les scènes du monde attendaient d'être emportées par les acheteurs.

— Clifford, vous avez fait un travail magnifique.

— Merci, madame Paradise.

Nadine poursuivit sa visite, heureuse d'avoir pris la décision de se défaire de tous ces objets. Cela représenterait un souci de moins pour Victor après sa disparition.

— Madame Paradise?

— Mademoiselle Slater! Quelle joie de vous voir ici!

— Merci de vous souvenir de moi. Je couvre les enchères pour KEY News. Je me demandais si vous accepteriez une brève interview.

— Certainement, ma chère.

Clifford Montgomery ne cacha pas son agacement. Quant à Meryl, elle ne dissimula pas son plaisir de voir B.J. s'avancer avec sa caméra, tandis que Victor Paradise rejoignait sa mère.

Faye commença par quelques questions sur la carrière de Nadine, avant de lui demander si certains objets exposés dans la galerie avaient pour elle une signification particulière. L'accent français de Nadine donna à ses réponses, précises et vives, un charme supplémentaire. Le public de KEY News, pensa Faye, allait être conquis.

— Madame Paradise, pourquoi avez-vous décidé de vous défaire maintenant de ces articles?

Nadine ne put s'empêcher de sourire.

— En vieillissant, chacun souhaite simplifier sa vie, se concentrer sur l'essentiel.

Elle oublia d'ajouter qu'après toutes ces années de retraite, les bénéfices de la vente seraient les bienvenus.

87

Vendredi de la troisième semaine de Carême

On ne pouvait que le reconnaître : les gens de Churchill's faisaient bien les choses.

Faye et B.J., chargés de filmer, ne ratèrent pas le début des enchères. Clifford Montgomery ouvrit la séance par quelques remarques préliminaires prononcées sur l'estrade. Tout d'un coup, les lumières baissèrent. Sur un écran de projection déroulé depuis le plafond, apparurent, au son de la musique de Tchaïkovski et de Stravinsky, des diapositives en noir et blanc de la danseuse étoile.

Après le rétablissement des lumières et les applaudissements qui suivirent, un cosaque se planta au garde-à-vous devant l'estrade, tandis qu'on introduisait le premier article : le costume que Nadine Paradise portait dans le rôle-titre de *L'Oiseau de feu*. Faye lut sur le catalogue que ce ballet s'inspirait de contes de fées russes.

Se sentant de plus en plus à l'aise dans cette galerie qu'elle avait jusque-là trouvée intimidante et réservée à des gens riches, elle reconnut plusieurs visages dans la salle. Nadine Paradise, bien sûr, et son fils Victor. Elle nota avec intérêt que Stacey Spinner avait pris place à côté d'eux.

Où était Pat ? Elle avait dit qu'elle fermerait le dépôt-vente et viendrait en compagnie de Tim Kavanagh.

Soudain, la jeune femme frissonna en sentant une main se poser sur son épaule.

— Il faut que nous arrêtions de nous rencontrer de cette façon.

C'était Jack.

— On laisse vraiment entrer n'importe qui, ici, chuchota-t-elle, trouvant les enchères plus excitantes encore.

88

— Je m'intéresse à une pièce qui sera mise aux enchères lors de la vente consacrée à l'histoire spatiale russe. Je ne pourrai malheureusement assister à l'exposition préalable. Pourriez-vous me la montrer?

— Tout de suite? demanda Meryl.

— Je sais que j'abuse de votre gentillesse, mais je n'ai vraiment pas beaucoup de temps.

Elle jeta un coup d'œil autour d'elle. Dans la galerie, tout se passait bien. Si elle s'absentait quelques minutes, personne ne lui en tiendrait rigueur. Elle montra le chemin à son interlocuteur.

— J'espère que cela ne vous dérange pas : nous allons être obligés d'emprunter le monte-charge.

— Je n'y vois aucun inconvénient.

Le portier déguisé en cosaque avait-il regardé dans leur direction? Impossible d'en être sûr.

Il fallait faire vite. Il n'y avait plus de place pour la moindre anicroche.

Dès que les portes de l'ascenseur se furent refermées derrière eux, Meryl eut le souffle coupé par quelque chose qui s'enroulait autour de son cou. Incapable de crier, elle se débattit pour tenter de se libérer de ce qui l'étranglait. Elle lutta avec violence, mais les mains puissantes qui serraient le garrot ne se relâchèrent pas.

Quant tout fut fini, le corps ramolli de la jeune femme s'affaissa. Malgré son poids, le cadavre fut facilement plié et fourré dans la grande caisse de déménagement posée contre une des parois de l'ascenseur et qu'on ferma en pesant lourdement sur le couvercle. Au même moment, une écharpe Hermès glissa à travers une ouverture étroite, sur le côté de la cabine, avant de flotter lentement dans la cage, jusqu'en bas.

89

Voulant confirmer leur rendez-vous pour le samedi soir, B.J. chercha Meryl avant de quitter Churchill's en compagnie de Faye. Il ne la trouva pas. La jeune femme était pressée de regagner l'immeuble de KEY News pour se consacrer tout de suite à son reportage. B.J., quant à lui, avait hâte d'aller vérifier la qualité de ce qu'il venait de filmer.

Il pensait avoir réussi ses prises de vue. Impression confirmée lorsqu'il passa la vidéo à la demande de Faye.

— Beau boulot, lui dit-elle. Je remarque que tu fais également de jolis plans de ta petite amie.

— Purement professionnels, répondit-il avec un large sourire.

— Dégage, charlot. J'ai à faire.

Faye ouvrit un nouveau fichier sur son ordinateur et commença à rédiger son commentaire.

« Suivant une mode qui consiste à mettre en vente des objets ayant appartenu à des célébrités, Churchill's, de New York, proposait aujourd'hui au public la collection de la célèbre danseuse Nadine Paradise. L'événement a attiré un nombre considérable d'acheteurs, désireux de s'approprier une parcelle d'existence de cette légende vivante. »

Elle tapa ainsi pendant trois quarts d'heure, insérant dans le cours de son texte des extraits d'interview de Nadine Paradise et de trois enchérisseurs enthousiastes.

Elle consulta sa montre. Dix-sept heures. Elle expédia son texte à Richard, dans l'aquarium.

Le directeur de la rédaction l'appela un quart d'heure plus tard.

— Tu supprimes l'interview du troisième enchérisseur et tu remplaces ta chute par : « Nadine Paradise, qui a, dans le monde entier, gagné le cœur de ses admirateurs, les a retrouvés cet après-midi chez Churchill's. » Ensuite, tu te magnes. Eliza Blake sera prête à enregistrer en cabine trois.

A une heure à peine du passage à l'antenne, Faye fit les modifications demandées et descendit à l'étage de la rédaction. Elle était ravie que Richard ait changé si peu de choses à son texte. D'ordinaire, il prenait un malin plaisir à dénaturer son travail.

90

Quatrième dimanche de Carême

Toute la journée de samedi, B.J. avait tenté sans succès de joindre Meryl. Lui signifiait-elle brutalement qu'elle ne souhaitait plus le voir?

Le soir, il avait laissé un autre message chez elle, sur son répondeur.

— Meryl, c'est Beej. S'il te plaît, rappelle-moi. Je me fais un sang d'encre.

Repoussant les pages du supplément dominical du *Daily News* étalées sur son lit, il décida d'essayer chez Churchill's. Peut-être avait-elle eu, après la vente du vendredi, du travail à rattraper. Son cœur bondit lorsqu'on décrocha après la seconde sonnerie.

— Clifford Montgomery.

La voix paraissait anxieuse.

— Bonjour, j'essaie de joindre Meryl Quan.

— Qui est à l'appareil, je vous prie?

— B.J. d'Elia, un de ses amis. Nous devions sortir ensemble hier soir et je n'ai pas pu l'avoir au téléphone. J'espérais la trouver à son bureau.

— Moi aussi, monsieur d'Elia. Je ne l'ai pas vue depuis vendredi après-midi. Je l'ai moi-même appelée chez elle. Disparaître ainsi ne lui ressemble guère. Surtout que nous préparons une autre vente importante. Elle a toujours été très consciencieuse.

B.J. sentit son cœur exploser dans sa poitrine.

— Je préviens la police.

91

Lundi

Faye arriva à son travail encore sous le choc du coup de fil affolé de B.J., la nuit précédente. D'abord Olga ; maintenant Meryl. Où était-elle ? Même si elle refusait de l'admettre, Faye avait peur.

Dean l'attendait dans son bureau.

— J'étais dans l'aquarium, vendredi soir, lorsqu'on a passé ton reportage sur la vente Paradise. Richard l'a adoré.

— Cela a dû te rendre très heureux, répliquat-elle d'une voix sarcastique.

— Oh, là, là, pardon ! J'ai juste cru que je pourrais, pour changer, t'annoncer une bonne nouvelle. Je ne recommencerai plus.

Il retourna à la lecture de son journal.

— Arrête ton char, Dean. Ne fais pas semblant de t'inquiéter pour moi. Tu seras enchanté d'avoir une nouvelle collègue de bureau. Et puisque je vais partir, laisse-moi te dire ce que je pense du salopard sournois que j'ai en face de moi.

Les joues de Dean s'empourprèrent. Faye ne lui laissa pas le temps de se justifier.

— Ne fais pas l'innocent. Je sais que tu as intercepté des messages qui m'étaient destinés et que tu t'es bien gardé de me transmettre. Je sais aussi que tu ne cesses de tourner autour de mon ordinateur et que tu écoutes mes conversations téléphoniques. Même si je ne peux pas le prouver, je sais enfin que tu as quelque chose à voir avec la disparition d'une cassette vidéo cruciale pour un reportage qui pourrait décider de ma carrière.

— Dis donc, Faye, ne t'en prends pas à moi parce que tu perds tout ce que tu touches.

— Tout ce que je touche? Des clous! Tu me l'as volée et sois sûr que je le prouverai. Je me demande ce que dira ton papa Richard quand je lui raconterai que son petit chouchou n'est qu'un voleur. Bravo pour la déontologie.

— Méfie-toi, Faye.

— C'est à toi de faire gaffe, Dean.

92

— Tu te rends compte? déclara à son collègue le manutentionnaire en bleu de travail. Maintenant, on fourgue les combinaisons spatiales des Popov. Histoire spatiale russe, mon cul. Je serai content quand cette vente à la noix sera terminée. J'en ai assez de me pointer aux aurores pour faire l'ouverture.

— Moi de même, répondit son compagnon. Ça me fait quand même un peu mal au cœur pour ces cosmonautes. Être obligé de vendre leurs souvenirs juste pour pouvoir croûter…

— Je m'en tape, moi, de ces types. Ils ont travaillé contre nous pendant des années. Ils n'ont que ce qu'ils méritent. Leur pays est un foutoir.

Ils poussaient devant eux un grand chariot rempli de combinaisons, de casques, de gants épais, de parachutes. Ils s'arrêtèrent, appelèrent le monte-charge qui devait transbahuter tout ce matériel à la salle des ventes, à l'étage au-dessus.

— Hé, regarde, une combinaison de chien. Les Russes étaient très forts pour envoyer des animaux dans l'espace.

Le manutentionnaire saisit la combinaison et la leva à bout de bras pour la montrer à son collègue. Les portes de l'ascenseur s'ouvrirent. Aussitôt, les deux hommes firent une horrible grimace en inhalant une forte odeur de putréfaction.

— Hé, mec! On dirait qu'il y a quelque chose de crevé, ici.

93

Encore une semaine de passée et toujours pas de chèque de Churchill's.

La fabrication et la vente d'un faux œuf Fabergé constituait déjà en soi un exploit inouï. A présent, avec les meurtres de Misha et de Meryl, sans compter Olga, dont il faudrait s'occuper, l'argent de la vente avait été gagné plusieurs fois. Et le travail à accomplir n'était pas encore terminé. Malheureusement, d'autres individus étaient venus fourrer leur nez dans cette affaire et il faudrait bien s'en occuper aussi.

Chez Churchill's, on décrocha à la troisième sonnerie.

— Clifford Montgomery.

— C'est vous qui répondez au téléphone, maintenant?

— Qu'est-ce que vous voulez?

— Mon argent.

— Écoutez, vous êtes bien tranquille dans votre coin, et moi j'ai le FBI sur le dos.

— Pauvre Clifford. Si cela peut vous soulager, j'ai eu beaucoup à faire de mon côté.

— Cela ne me soulage en rien. Je suis pris à la gorge, ici. D'un autre côté, l'acheteur a du mal à réunir l'argent. Mais même si je l'avais, si je signais un chèque maintenant, j'aurais les fédéraux dans mon bureau sur l'heure.

— Réfléchissez, mon vieux. Faites-vous payer par votre acheteur anonyme ou je préviendrai le FBI moi-même.

Clifford eut un rire nerveux.

— Si vous faites ça, vous plongerez avec moi.

— Vous vous trompez. Tout ce que j'aurai besoin de dire, c'est que j'ai acheté l'œuf au marché aux puces de la 36e rue et que je vous l'ai apporté pour que vous l'identifiez. Croyez-moi, j'aurai l'air aussi outré que votre acheteur en apprenant qu'il s'agit d'un faux. Et rien ne pourra m'impliquer dans cette escroquerie.

Montgomery pensait à sa carrière. Il était coincé et il le savait. Il aurait donné dix ans de sa vie pour ne jamais avoir été mêlé à cette histoire. Un simple hasard l'avait mené droit à ce cauchemar, qui avait toutes les chances de mal finir.

— Versez-moi cet argent, Clifford. Ou c'est vous qui irez en cabane. Mon petit doigt me dit que vous n'apprécierez pas le confort des prisons fédérales. Il faudra pourtant vous y faire, si vous me forcez à appeler qui vous savez.

94

Mardi

— On a découvert le cadavre de Meryl, déclara
B.J. en s'appuyant, en état de choc, contre l'encadrement de la porte.

Abasourdie, Faye se sentit incapable de se lever.

— Oh, B.J... Non. Oh, non !

Le caméraman marcha lentement vers le canapé
installé contre le mur du bureau de Faye, s'y laissa
lourdement tomber. Les yeux fermés, la tête contre
l'extrémité du dossier, il respira longuement.

— On l'a trouvée ce matin, dans une caisse de
déménagement, chez Churchill's. D'après les pre-
mières constatations, il semble qu'elle y était déjà
avant le week-end.

Doucement, Faye rejoignit son ami sur le canapé.

— Que dit la police ?

— La même chose que d'habitude. Elle
enquête, et n'en dira pas plus. On saura par l'autopsie comment elle a été tuée.

Tuée. Faye frotta ses bras croisés, tout d'un
coup glacée.

— Connais-tu quelqu'un qui en aurait voulu
à Meryl ?

Il ne l'écoutait pas.

— Je l'ai vue à la vente vendredi. Elle avait l'air
si gaie. Nous avions décidé de sortir ensemble ce
week-end. Si seulement je l'avais un peu mieux
cherchée, au lieu de me précipiter ici pour vérifier
la qualité de ma maudite vidéo, peut-être, peut-
être serait-elle encore vivante.

— Beej, murmura Faye en lui prenant doucement les mains, tu ne dois pas te flageller de cette façon. Si une personne voulait tuer Meryl, elle l'aurait fait de toute manière. Tu ne pouvais pas être à ses côtés vingt-quatre heures sur vingt-quatre.

— Je sais bien, répondit-il, des larmes dans la voix. Surtout si l'on tient compte de la vie qu'elle menait là-bas et des soucis que lui causait son patron.

— Clifford Montgomery?

— Oui. Selon elle, il était mêlé à quelque chose. Et elle ne voulait absolument pas s'y retrouver impliquée.

95

Chaque mois, l'entreprise qui avait installé les ascenseurs chez Churchill's envoyait un homme vérifier leur bon état de marche. Liam O'Shea aurait dû passer le 17 du mois, mais il avait, ce jour-là, vingt-quatre heures d'avance. Il souhaitait prendre une journée de congé, le lendemain, pour assister à la parade de la Saint-Patrick.

Travaillant au sous-sol, il vérifia le moteur et le câble de chaque appareil, termina par le monte-charge. Il découvrit, au fond de la cage, une écharpe de femme hors de prix : l'étiquette, Hermès, en attestait.

Il pensa d'abord la rapporter aux services de sécurité de la salle des ventes, où on devait certainement s'occuper des objets trouvés. Mais la tentation fut la plus forte. Mary avait toujours voulu une écharpe comme celle-là. Il s'était même renseigné sur les prix l'année précédente, à Noël, bien décidé à lui offrir quelque chose qu'elle n'achèterait jamais elle-même. Hélas, avec trois enfants dans une école privée, il ne pouvait décemment pas dépenser 250 dollars pour une babiole de ce genre.

Les femmes qui fréquentaient la salle des ventes en avaient probablement plein leurs tiroirs, alors que Mary, qui travaillait dur, n'avait jamais possédé quelque chose d'aussi beau de toute sa vie. Ce n'était pas juste.

Il ferma sa trousse à outils, plia soigneusement l'écharpe en soie et la glissa dans la poche de sa veste. Cette année, pour la Saint-Patrick, sa Mary aurait une belle surprise. Elle le méritait.

96

Il ne lui restait plus qu'une chose à faire : se débarrasser de la preuve. Mais comment ?

Dean songeait aux menaces de Faye. Ce n'était vraiment pas le moment de foutre en l'air sa réputation ! Après avoir autant travaillé à s'attirer les bonnes grâces de Ray...

Il ne voulait pas détruire la cassette. Il préférait se réserver la possibilité de l'utiliser à tout moment, si la situation l'exigeait. Mais, pour l'instant, il ne devait pas la garder avec lui.

Soudain, il sut où la mettre en sûreté.

97

Mercredi, jour de la Saint-Patrick

— Si j'avais dû attendre que vous m'invitiez à dîner chez vous, je serais mort de faim. Je dois quand même admettre que je vous ai préparé, pour la Saint-Patrick, un bien pauvre repas. Je ne sais pas faire le corned-beef aux choux.

Jack regarda Faye, espérant qu'elle lui répondrait du tac au tac. Elle se contenta d'enrouler ses spaghettis autour de sa fourchette en buvant une gorgée de vin, incapable de cesser de penser à la fin violente de Meryl.

— Encore un peu? demanda-t-il.

Elle accepta d'un hochement de tête.

— Jack, j'éprouve une sensation glaciale. Le pressentiment d'une tragédie imminente. Quelqu'un a pénétré tranquillement chez Churchill's et a assassiné Meryl Quan. Je crois également que cette personne s'est introduite dans l'appartement d'Olga avec l'intention de la tuer.

— Vous pensez que les deux affaires sont liées? En quoi?

— Meryl était dans le bureau du président le jour où je lui ai fait part de mes soupçons sur l'authenticité de l'Œuf de lune. Elle a raconté à B.J. que ma visite avait profondément troublé son patron.

Elle réfléchit un moment avant d'ajouter :

— Olga était en possession du véritable œuf Fabergé. B.J. et moi venions de le filmer à Westwood lorsque l'incendie s'est déclaré. Coïncidence? Je ne pense pas. Nous avons donc un meurtre et une tentative de meurtre.

— Non. Deux meurtres, en fait.

Elle lui lança un regard aigu.

— Comment ça?

Jack lui révéla ce qu'il savait de l'assassinat de Misha dans son petit atelier de Brighton Beach.

— A-t-on trouvé un corps?

— A en juger d'après tout le sang, si on découvre quelque chose, ce ne sera pas un cadavre entier. A l'heure qu'il est, Misha Grinkov n'existe plus qu'en pièces détachées.

Faye se tut, ébahie.

— Pourquoi ne m'avez-vous pas parlé de Misha plus tôt? demanda-t-elle enfin.

— A ce moment-là, tout cela paraissait très loin de vous et ne menaçait nullement votre sécurité.

— Et maintenant?

Jack se leva, contourna la table. Il invita la jeune femme à se lever, l'entraîna vers le canapé du salon. Prenant son visage entre ses paumes, il l'embrassa doucement, puis fermement, sur la bouche, sentit ses bras se nouer autour de son cou.

— Et maintenant? murmura-t-elle de nouveau.

— Il risque de s'écouler peu de temps avant que les choses ne commencent à vous concerner d'un peu trop près.

98

Jeudi

Chaque jour, depuis que Patricia Devereaux lui avait dévoilé l'identité de la personne qui avait mis la broche en vente, Nadine se faisait conduire par Victor jusqu'à l'hôpital de Pascack Valley.

— Reviens dans une heure, mon chéri. Je t'attendrai dans le hall.

Elle le suivit des yeux tandis qu'il s'éloignait au volant de la Mercedes. Il ne semblait guère s'intéresser à la vieille femme clouée sur son lit, à cette tante tombée du ciel. Son indifférence décevait Nadine.

Elle s'engagea dans le long couloir menant à la chambre d'Olga, sourit à l'infirmière de service. Elle s'assit près du lit, commença à parler doucement, en russe, à sa sœur aînée.

— Je t'en prie, Olga, ma chère Olga. Il faut que tu t'en sortes. Toute ma vie, j'ai désiré une sœur. Maintenant que nous avons enfin la chance de nous connaître, nous ne pouvons pas perdre ce cadeau. Je vais bien m'occuper de toi. Tu pourras venir vivre chez moi. Je possède une grande maison, aux pièces innombrables. Notre papa, de là-haut, sera si heureux de savoir que ses deux filles sont enfin réunies après tant d'années.

Elle prit la main délicate d'Olga, si semblable à la sienne, la serra avec fermeté.

— Je t'en prie, Olga. Il faut que tu essaies.

Elle sentit une faible pression.

99

Debout devant le bureau de Richard Bullock, Faye plaida sa cause. Le directeur de la rédaction resta de marbre.

— Tant que tu n'auras pas le véritable Œuf de lune, ou du moins la vidéo, je ne pourrai pas programmer le sujet.

— Mais, Richard, B.J. et moi l'avons vu de nos yeux. Quant à toi, tu as visionné la cassette.

Il secoua la tête, exprimant tout haut ce que la jeune femme ne pouvait pas se résoudre à reconnaître.

— Tout cela est bel et bon, mais nous n'avons plus de preuve tangible, n'est-ce pas ? Avec toutes les actions en justice lancées récemment contre les chaînes de télévision, reprit-il après un silence, tu comprendras que j'hésite à foncer tête baissée dans cette histoire. KEY News n'a vraiment pas besoin d'un procès en diffamation de plusieurs millions de dollars avec Churchill's.

Il en fallait davantage pour dissuader Faye. Elle pensa un instant lui faire part de ses soupçons à propos de Dean et de la vidéo disparue, mais elle eut une meilleure idée. Corser le sujet.

— Nous parlons de deux assassinats, plus une tentative de meurtre.

— Peux-tu prouver que ces crimes sont liés à l'œuf Fabergé ?

Elle garda le silence.

— Écoute, conclut-il en adoucissant sa voix, je ne prétends pas que nous ne tenons pas un grand sujet. Mais seulement si tu as des preuves. Au stade où en sont les choses, le dossier reste trop mince.

— Je n'ai pas dit mon dernier mot, répliqua-t-elle en quittant l'aquarium.

Il la regarda traverser le studio. Il regrettait que Faye n'ait pas fait preuve de la même détermination quelques mois plus tôt, avant qu'il n'ait pris la décision de s'en séparer.

100

Robbie défit le carton d'enregistrements vidéo qui venaient d'arriver de KEY News par le courrier interne. Il contenait une dizaine de cassettes de la parade de la Saint-Patrick.

Il les porta en pile jusqu'au moniteur et les inséra une à une dans la machine, notant, pendant qu'elles se déroulaient, leur contenu sur son ordinateur.

Des fanfares qui défilaient, des policiers rubiconds, des cornemuses et des centaines de gens vêtus de vert. Une Saint-Patrick semblable à toutes les autres.

Il inséra la septième cassette, s'attendant à voir à peu près la même chose. Au lieu de cela, une très vieille femme tenant entre ses mains une pluie de diamants étincelants apparut sur l'écran.

101

Vendredi de la quatrième semaine de Carême

— S'il vous plaît, Olga, déclara l'infirmière. Essayez de prendre un peu de ce bouillon. Il est important que nous puissions cesser de vous alimenter par perfusion.

— Ma gorge me fait mal. Je n'arrive pas à avaler.

— Cela vient de la trachéotomie. Mais à présent que vous en êtes débarrassée, votre gorge ira mieux dans quelques jours.

— Alors, je mangerai à ce moment-là.

L'infirmière ne put s'empêcher de sourire. Sacrée Olga. Pendant des semaines, personne n'avait cru qu'elle se remettrait et maintenant, vingt-quatre heures à peine après être sortie du coma, elle redevenait la mule têtue qu'elle avait toujours été. Décidément, l'esprit humain est indestructible.

— Très bien. Nous essaierons à nouveau demain. Bonne nuit.

L'infirmière borda la couverture et partit s'occuper de son patient suivant.

Olga sombra dans un demi-sommeil peuplé de rêves sans suite que les appels de nuit perturbaient par intermittence. « *Ma ijtso. Ma ijtso.* »

Un visiteur se pencha vers elle.

— Oui, ma vieille. « Ton œuf. » C'est à cause de lui que tu dois mourir.

209

Le dos du visiteur bouchait la vue depuis le couloir. Pénétrant de nouveau dans la chambre avec une carafe d'eau fraîche, l'infirmière de nuit ne pouvait voir l'oreiller que le visiteur serrait entre ses mains.

— N'est-ce pas merveilleux de la voir aller si bien ? lança-t-elle à ce visiteur qu'elle avait déjà croisé plusieurs fois.

Il tapota l'oreiller, lui sourit.

— Je veux qu'elle soit installée le plus confortablement possible. Elle a tellement lutté…

102

Samedi

Charlie fermait pour la nuit. Tirant le rideau de sa boutique, il ne put s'empêcher de regarder en direction du dépôt-vente. Ce qu'il distingua dans la pénombre lui broya le cœur.

Pat descendait l'allée qui longeait son magasin, en compagnie de l'homme qu'elle rencontrait régulièrement depuis plusieurs semaines. Sous l'œil de Charlie, il ouvrit la portière de sa voiture, côté passager, pour que Pat puisse s'installer. Où allaient-ils ? Que feraient-ils ensemble au cours des prochaines heures ?

Arrête de te torturer. Tu ignores si elle est vraiment attirée par ce type. Elle ne s'est jamais montrée déloyale envers toi. Elle ne sait même pas que tu en pinces pour elle. Tu ne lui as jamais laissé deviner à quel point tu tenais à elle. Pourquoi ne lui avoir rien dit ? Parce que tu as peur, trouillard. Peur qu'une femme comme elle n'ait rien à faire d'un type dans ton genre.

Il continua ainsi à se mortifier, tout en allant déposer un sac de plastique noir rempli des déchets de la journée dans la grosse poubelle de métal située à l'arrière de la boutique.

Et voilà. A présent, tu vas rentrer chez toi, passer un samedi soir semblable à tous les autres avec, pour toute compagnie, ta télé et un pack de Budweiser. Remue-toi, mec. Il faut que tu saches si Pat pourrait penser à toi, non comme à un frère, mais comme à un...

Tu aurais peut-être une chance si elle savait que tu as du fric. Tu ne lui as jamais fait comprendre que tu pourrais t'occuper d'elle, lui offrir une vie merveilleuse, lui donner la possibilité d'abandonner son travail si elle le souhaitait. Elle ne voit en toi que Choo Choo Charlie, le brave type au crâne dégarni et à la casquette de base-ball qui tranche du salami dans sa boutique.

Pas étonnant qu'elle ne soit pas impressionnée.

103

Cinquième dimanche de Carême

Pour Olga, on disposait encore d'un peu de temps. De toute façon, il était impossible, à présent, de le faire à l'hôpital.

Misha, Meryl et, pour finir, Olga. Maintenant, malheureusement, il y avait quelqu'un d'autre.

Tony, le portier de chez Churchill's. Il pouvait désigner du doigt. Il reconnaissait tous ceux qui venaient régulièrement chez Churchill's. Il pouvait donner des noms.

Le jour de la vente Paradise, à laquelle son déguisement de cosaque avait ajouté une note pittoresque, avait-il remarqué quelque chose d'inhabituel ? Peut-être avait-il les yeux ailleurs lorsque Meryl avait traversé la salle en direction des entrepôts du sous-sol. Mais peut-être avait-il tout vu. Il avait des yeux qui regardaient dans toutes les directions.

Ce n'était pas une certitude, mais une possibilité. Une forte probabilité qu'on ne pouvait ignorer.

104

— Jack, il y a presque une semaine qu'on a découvert le corps de Meryl. Que fait la police ?

— Allons, Faye, accorde-nous une chance de savourer la première journée de printemps de l'année, répondit Jack en mordant dans sa crème glacée.

Ils étaient assis sur un banc, au cœur de Central Park, devant le monument à la gloire de John Lennon. En face, les demeures de Gothic Dakota, quartier des gens riches et célèbres, semblaient émerger des arbres.

Jack avait raison. C'était une journée magnifique, le premier avant-goût du printemps tout proche. L'hiver avait été rude et Faye ne le regrettait pas. Mais Meryl Quan, elle, ne verrait pas les arbres bourgeonner. Elle ne se délecterait pas du pépiement des oiseaux, du souffle tiède de la brise.

Pas une seconde, bien sûr, cela ne lui était venu à l'esprit. Elle avait vécu le printemps précédant sans se douter que ce serait son dernier. Elle avait toutes les raisons de penser qu'elle en connaîtrait de nombreux autres. Rouler en voiture décapotable, tomber amoureuse, regarder éclore les tulipes et les jonquilles ; se marier, même, avoir des enfants à elle : elle serait privée de tout cela.

Faye prit le bras de Jack, laissa sa tête s'alanguir sur sa large épaule.

— Mon Dieu, murmura-t-elle, la vie est si fragile…

105

Mardi

Côte à côte, Victor et Stacey faisaient du sur-place sur les tapis d'entraînement du centre de mise en forme. Victor courait comme un dératé. Stacey, elle, se contentait d'une marche rapide.

— Maintenant, haleta Victor, ma mère veut que la vieille bique vienne s'installer chez nous.

— Ce ne sera pas la fin du monde.

— Tu parles... Comme si j'avais besoin de m'occuper de deux vieilles dames. Qu'un type de mon âge vive encore chez sa mère a quelque chose de malsain. Désormais, elles seront deux et ne vont pas tarder à devenir gâteuses. Ce bon vieux Victor va devoir jouer les baby-sitters.

Stacey rectifia son serre-tête en tissu.

— Si tu en es si sûr, pourquoi ne t'en vas-tu pas pendant qu'il en est encore temps? Tu as le droit de mener ta propre vie.

Parvenu au bout de ses cinq kilomètres, il attendit que Stacey ait terminé ses trois kilomètres de marche rapide. Ils se dirigèrent ensuite vers les appareils de musculation. Allongé, Victor commença ses exercices, Stacey debout devant lui.

— Tu sais, Victor, un jour ou l'autre, tu deviendras un homme très riche.

Il grogna.

— Mais quand allons-nous enfin prendre vraiment du bon temps, toi et moi?

Stacey jeta un coup d'œil autour d'elle. Les habitués de la salle de musculation semblaient concentrés uniquement sur leur propre corps.

— Cesse de te décourager sans arrêt, dit-elle. Il faut que tu sois patient. Est-ce que je me plains, moi?

— Ma mère n'a pas autant d'argent que tu le crois.

Il avait parlé sans réfléchir. Stacey but une gorgée d'eau, s'efforçant de paraître nonchalante.

— Qu'est-ce que tu veux dire?

— Pourquoi crois-tu qu'elle a mis tout ce barda aux enchères?

Pesant ses mots, Stacey conclut sur un gros mensonge.

— Arrête de te faire du mouron, chéri. Tout ira très bien. Je suis de ton côté. Tu sais que l'argent n'a rien à voir avec les sentiments que je te porte.

Même Victor n'était pas assez bête pour croire cela.

106

Après avoir repéré la voiture de B.J. dans le parking de KEY News, Faye se rendit dans la salle commune où les caméramen se réunissaient en attendant qu'on les envoie sur le terrain. Elle voulait absolument lui annoncer la nouvelle en personne. Ce qu'elle avait à lui dire ne pouvait être confié par téléphone.

B.J. était vautré sur un canapé, au milieu de gobelets de café vides et des quotidiens du jour étalés sur les tables. Indifférent au feuilleton diffusé par la télévision fixée contre le mur, il contemplait le plafond.

— Salut.

Il se leva d'un bond, surpris de la voir là.

— Qu'est-ce qui t'amène?

— On a les résultats de l'autopsie, dit-elle en s'asseyant près de lui.

— Alors?

— Meryl a été étranglée.

Il se tut un long moment.

— Et?

— D'après l'état du corps, elle était morte depuis deux ou trois jours lorsqu'on l'a découverte.

— Comment le sais-tu ?

— Jack McCord me l'a dit.

B.J. baissa la tête. Faye savait qu'il voulait lui cacher les larmes qui lui montaient aux yeux.

Elle l'entendit à peine chuchoter :

— Si seulement j'avais été là pour la protéger...

107

— Qu'est-ce que je fais de cette cassette, patron ? demanda Robbie. Elle est arrivée avec les vidéos de la Saint-Patrick mais n'a visiblement rien à voir avec elles.

— Qu'est-ce qu'il y a dessus ?

— Des images d'une vieille dame et d'une espèce d'œuf de diamants.

— Pas d'étiquette sur la boîte ?

— Rien. Ni numéro ni référence au sujet. Pas de nom de caméraman non plus.

— Quand ces incapables comprendront-ils qu'il est indispensable de marquer chaque cassette ? s'écria, exaspéré, le directeur des archives. Laisse-la sur le bureau, Rob. Tôt ou tard, quelqu'un viendra la chercher.

108

— Qui t'a permis de fouiner autour de mon bureau ? cria Dean Cohen.

Faye leva les yeux du tiroir qu'elle fouillait :

— Un prêté pour un rendu, mon vieux, répondit-elle sans se démonter. A mon tour de jouer à ton sale petit jeu.

— Qu'est-ce que c'est que ce délire ?

— Où est ma vidéo ?

— Je n'en n'ai pas la moindre idée.

— Ben voyons…

Elle ouvrit brutalement un second tiroir, continua à chercher.

— Arrête de farfouiller là-dedans où j'appelle la sécurité.

— Appelle donc. Je dirai, non seulement aux agents, mais à tous ceux qui passeront par ici et verront cette pagaille, que tu n'es, Dean Cohen, qu'un menteur, un voleur et un faux-jeton.

— Surveille ton langage, Faye.

— Bien sûr, ils auront peut-être du mal à me croire, ajouta-t-elle en ouvrant un troisième tiroir. Mais le doute fera son chemin. Ce sera mon cadeau d'adieu, mon cher Dean. Bien après mon départ de notre sacro-sainte KEY News, on te regardera en se demandant si tu es vraiment un salopard. Tu sais que les bonnes nouvelles vont vite, par ici.

— Tu ne trouveras pas ta cassette dans mes tiroirs, répliqua-t-il calmement.

— Peut-être. Mais il vaudrait mieux pour toi qu'elle revienne très vite.

109

Vendredi de la cinquième semaine de Carême

Guidant ses élèves de Seton Hall dans le siège caverneux des Nations unies, à East Side, Tim Kavanagh leur fit admirer le globe terrestre géant qui, oscillant sur son balancier métallique, symbolisait, aux yeux de l'artiste qui l'avait conçu, un monde enfin uni.

— Allons, venez, la conférence commence dans dix minutes.

Il conduisit son groupe de futurs diplomates jusqu'à l'auditorium, où ils devaient suivre une conférence sur l'histoire de l'ONU et les nouvelles tendances de la diplomatie internationale. Une fois les étudiants installés et la conférence commencée, il quitta discrètement la salle. Il avait une bonne heure et demie devant lui.

110

En fin de journée, au moment où Churchill's fermait, le tueur s'enferma dans l'une des toilettes du sous-sol, grimpa sur la cuvette. Un garde jeta un œil rapide pour s'assurer que l'endroit était vide. Le tueur retint sa respiration.

Il attendit cinq minutes avant de sortir de sa cachette. Un bref regard dans le miroir, au-dessus du lavabo. Ainsi, c'était à cela que ressemblait un meurtrier juste avant de commettre son crime. Les yeux agrandis, mais calmes.

Il monta à pas de loup les escaliers menant au vestiaire, ouvrit lentement la porte, sans un bruit. S'il tombait sur quelqu'un d'autre que Tony, il avait une excuse toute trouvée : il prétendrait s'être égaré dans le dédale de couloirs de l'immeuble.

Mais il n'y avait personne d'autre. A part Tony.

Debout, il tournait le dos à la porte. Après avoir posé son bonnet de fourrure sur un banc, à côté de son placard, il sifflait sans penser à rien en enlevant son manteau bleu de cosaque. Triste destin. On sifflote et, une seconde après, on est mort.

111

B.J., il faut que tu te libères de ton obsession. Tu devrais peut-être aller voir un professionnel.

Voilà ce qu'il se disait. Mais rien n'y faisait. Assis, seul, dans la salle de visionnage aux lumières éteintes, il repassa la vidéo. Au moment où il l'avait prise, il avait anticipé sur le plaisir qu'il éprouverait en la montrant, plus tard, à Meryl. Mais il n'y aurait pas de plus tard.

Il s'était efforcé de filmer tout ce qui aurait pu être utile à Faye pour son reportage sur la vente Paradise : les costumes, les affiches, les objets, sans compter des images de l'assistance dont Faye se serait servie lors du montage et de longs plans de la salle qu'on aurait pu utiliser en ouverture.

Mais chaque fois qu'il en avait eu l'occasion, il avait braqué sa caméra sur celle qu'il aimait. Meryl, sa sublime Meryl.

Sur l'écran, la ravissante jeune femme aux cheveux sombres et lisses suivait avec attention le déroulement des enchères. Veiller à ce que tout se passe sans incident faisait partie de son travail.

— Beej, mon ange, arrête de te torturer, murmura Faye, qui venait d'apparaître dans l'encadrement de la porte. Allez, viens. Je t'invite à dîner. La semaine a été rude.

— Mon Dieu, Faye, je n'arrive pas à croire qu'elle n'est plus là.

— Je sais.

Elle posa sa main sur l'épaule de B.J. Tous deux continuèrent à regarder la vidéo.

— Reviens en arrière ! cria soudain Faye.

Il s'exécuta aussitôt.

— Là ! cria-t-elle encore. Regarde qui suit Meryl hors de la salle !

112

— Bureau fédéral d'investigation.

— Jack McCord, s'il vous plaît. C'est urgent.

Au bout de quelques minutes, qui semblèrent une éternité à Faye, le standardiste reprit la ligne.

— Monsieur McCord n'est pas dans son bureau. Mais j'ai la possibilité de le joindre. Puis-je prendre un message ?

Elle eut l'impression que son cœur s'arrêtait de battre.

— Oui. Dites-lui que Faye Slater a appelé. Demandez-lui de me joindre immédiatement. C'est très important. Il a mes numéros. Il vaudrait mieux qu'il m'appelle sur mon portable.

113

Tony sentit quelque chose s'enrouler autour de son cou. Il porta d'instinct les mains à sa gorge, cherchant à se libérer du lien qui l'étranglait. Il étouffait. Il entendit des bruits sortir de sa bouche : les râles d'un homme essayant désespérément de respirer. Le son de la mort, c'était donc ça.

Tout se passa très vite. Sachant que cet acte serait pour lui le dernier, Tony lâcha son cou. Il laissa tomber ses mains derrière son dos, les glissa entre les cuisses du tueur et serra, avec toutes les forces qui lui restaient.

L'agresseur poussa un cri aigu. Autour de son cou, Tony sentit le lien se relâcher. Tandis qu'il s'affalait sur le sol du vestiaire, le tueur se plia en deux, gémissant comme un animal blessé.

114

Une heure après qu'elle eut téléphoné au FBI, le portable de Faye sonna.

— McCord.

— C'est moi.

— Quoi de neuf ?

Elle lui parla de la cassette. Il resta silencieux une minute avant de répondre le plus calmement du monde :

— Ça se tient.

— Que voulez-vous dire ?

— Churchill's vient juste d'appeler la police. Victor Paradise a quitté la salle des ventes dans un linceul de la morgue.

115

Jack n'eut qu'à montrer sa carte d'agent fédéral pour qu'on le laisse passer. Faye et lui se précipitèrent vers la chambre qu'occupait Tony au New York Hospital. Le portier gisait dans son lit, pâle, les yeux clos. Son cou épais était à la fois noir, bleu et d'un rouge agressif. Il ouvrit les yeux lorsque Jack se racla la gorge avant de se présenter.

— Comment vous sentez-vous ?

— J'ai mal partout. Et une migraine du diable.

— Pouvez-vous nous raconter ce qui s'est passé ? demanda doucement Jack.

— Le type m'a attaqué par derrière, répondit Tony d'une voix cassée. Ça été horrible, mais j'ai pu lui broyer les roupettes. Mille excuses, m'dame, ajouta-t-il à l'intention de Faye.

— Rassurez-vous, j'en ai entendu d'autres.

— Quoi qu'il en soit, nous sommes tombés tout les deux. J'ai réussi à attraper le pistolet que je garde dans mon placard et je l'ai flingué. En plein dans le buffet. Je n'allais pas lui laisser une chance de remettre ça. Une fois m'avait suffi, conclut-il avec une grimace de douleur.

— Avez-vous une idée des raisons qu'avait Victor Paradise d'essayer de vous tuer? lui demanda Faye.

— Non, m'dame. Ce type, je le voyais souvent, lorsqu'il accompagnait sa mère chez Churchill's. Il a toujours eu l'air sympa.

Il grimaça encore, comme si le son de sa propre voix augmentait sa douleur. Faye et Jack se penchèrent un peu plus pour lui éviter de parler trop fort.

— Sympa, poursuivit-il en faisant tourner son index plusieurs fois près de sa tempe, mais pas très net. Dans sa tronche, ça tournait à vide, si vous voulez mon avis. Il n'arrêtait de me bassiner avec ses haltères et son jogging.

— Une dernière question et nous allons vous laisser vous reposer, Tony. Avez-vous vu Victor Paradise parler à Meryl Quan le jour de la vente Paradise?

Il essaya de se souvenir.

— Ça, je ne peux pas l'affirmer.

116

Clifford ouvrit la porte de son bureau et fit entrer la personne qui lui rendait visite.

— Vous travaillez de nouveau le week-end, Clifford?

— Qu'est-ce que vous faites là? répliqua-t-il avec hargne en refermant la porte.

— Du calme, Clifford, du calme. Ma présence ici ne vous posera aucun problème. A moins que vous décidiez de ne pas faire ce que je vous demande.

Clifford eut un regard furieux.

— Du calme, mon cul ! Comment pourrais-je me calmer alors qu'on a tué deux personnes chez moi ? Je pensais, quant à vous, que cela vous perturberait davantage.

— Il fallait que Meryl Quan disparaisse. Elle en savait trop et était prête à parler. Je croyais que vous me seriez reconnaissant d'avoir tout pris en main.

— Et Victor Paradise ?

— Un pantin. Tout juste bon pour les basses besognes. A présent, la voie est libre. Personne ne se mettra plus en travers de notre chemin. Victor n'avait rien dans le crâne. Tôt ou tard, il aurait lâché le morceau. Il nous a débarrassés de Meryl et la police doit être bien contente de savoir son assassin allongé dans un tiroir de la morgue.

Clifford n'avait jamais entendu quelqu'un parler avec un tel cynisme.

— Je concède qu'il n'était pas nécessaire de tuer le portier, même s'il avait vu ce pauvre Victor accompagner Meryl jusqu'au monte-charge. Mais ce qui est fait est fait. Et Victor est mort. Affaire classée. A présent, venons-en aux choses sérieuses. Je veux mon argent maintenant. Donnez-moi mon chèque.

— Les choses ne se passent pas de cette façon.

— Comment ça ?

— Je ne peux pas vous signer un chèque de six millions de dollars. Cela doit passer par les services comptables. La dernière fois que je me suis renseigné auprès d'eux, ils n'avaient pas encore reçu l'argent de l'acheteur.

— C'est qui, ce foutu acheteur ?

224

— Je ne vous le dirai pas. J'ai plus peur de lui que de vous.

La personne assise en face de Montgomery fit un effort pour ne pas perdre son sang-froid.

— Clifford, dit-elle en pesant ses mots, vous paraissez ne pas comprendre. Laissez-moi tout vous expliquer encore une fois. Si vous ne me donnez pas cet argent, je balance tout aux fédéraux. De façon anonyme, bien sûr. Et vous et votre cher Churchill's vous retrouverez sur la paille.

— Mais vous, vous pourrez dire adieu à vos six millions de dollars, murmura-t-il avec un petit sourire.

Son vis-à-vis décida alors d'employer un ton plus conciliant.

— Nous avons toujours travaillé ensemble. Continuons à nous épauler. Je ne sais pas qui a acheté l'œuf et, franchement, je m'en moque. De mon point de vue, le seul véritable problème serait l'apparition du véritable Œuf de lune.

— Si vous saviez qui a acheté votre faux, je vous garantis que vous ne vous en moqueriez pas.

117

Dimanche des Rameaux

Après avoir recouvert sa table ronde d'une nappe à fleurs, Faye y disposa deux couverts, une bougie à la senteur de pêche fichée dans un bougeoir de cuivre et un bouquet de tulipes blanches dans un vase de verre.

Avec l'aide de Pat, elle avait transformé son appartement en un lieu accueillant, où l'on se sentait bien. Un tapis rose et blanc égayait le salon. Les livres n'étaient plus empilés à même le plancher, mais rangés sur les étagères de la bibliothèque qu'entouraient, fixés au mur, deux chandeliers de cuivre où brûlaient doucement des bougies abricot. Une minuscule peinture à l'huile représentant un homme lisant son journal, un singe sur l'épaule, reposait sur un chevalet de métal trônant au centre d'une petite table d'acajou. Ces objets, que Faye avait trouvés au dépôt-vente, ne lui avaient pas coûté bien cher. Mais ils dégageaient un charme indéfinissable qui baignait toute la pièce.

En entrant, Jack l'embrassa et respira la touche de parfum qu'elle avait déposée derrière ses oreilles et à la base de son cou. Alors qu'elle le conduisait au salon, il détailla la table dressée dans la salle à manger, appréciant le soin qu'elle y avait mis.

— Quelque chose à boire?

— Je ne refuserais pas un scotch.

— Bourbon, *on the rocks*, pour vous servir.

Elle versa l'alcool dans un verre rempli de glaçons, ajouta une rondelle de citron.

— La touche du connaisseur. Merci.

Il s'installa confortablement dans le canapé, étendit ses longues jambes et poussa un profond soupir de soulagement.

— Quel est votre avis, Jack? Est-ce Victor qui a mis le feu chez Olga?

— Je n'en sais rien. Il nous faudra montrer sa photographie à la vieille dame.

226

— Quand ? demanda Faye avec impatience, debout devant lui.

— Allons, dit-il en posant son verre et en l'attirant vers lui. Pourquoi ne pas tout oublier, ce soir ? Nous méritons bien un peu de repos.

— Et d'autres choses, répondit-elle en l'embrassant avec fougue.

Puis, s'écartant un peu :

— Mais ne nous laissons pas trop distraire. J'ai un dîner sur le feu et je ne tiens pas à le rater. D'autant que de ma part, c'est une première.

Jack éclata de rire.

— Entendu. Je me réserve le dessert pour plus tard. Qu'a préparé le chef ?

— De l'agneau aux asperges et aux pommes de terre sautées.

— Je ne savais pas que je fréquentais une cuisinière de ce niveau.

— Ne vous moquez pas de moi. Je fais de mon mieux.

— Je sais bien, répliqua Jack en se levant et en se dirigeant vers la cuisine. En quoi puis-je vous aider ?

— J'ai pensé que nous pourrions commencer par le caviar d'aubergines d'Olga. Il est dans le frigo.

Il ouvrit le réfrigérateur, s'empara du pot. Tout d'un coup, Faye sursauta, sentant ce petit pincement à la nuque qui accompagnait chacune de ses intuitions.

Aubergine. « *Eggplant* », en anglais. Planter l'œuf !

118

Richard Bullock regarda machinalement, avant de s'en aller, le dernier journal du soir sur la chaîne de télévision locale. Le sujet d'ouverture le cloua sur place.

« Double meurtre chez Churchill's », claironna le présentateur. Il raconta ensuite qu'une employée, puis un client bien connu, avaient été tués dans la célèbre salle des ventes au cours des deux semaines écoulées.

Il était temps de traiter l'affaire. En éteignant les lumières, Richard décida d'en parler à Faye dès le lendemain matin. Il espérait ne pas avoir commis d'erreur en ne l'encourageant pas plus tôt à se lancer dans son reportage.

119

Lundi de la semaine sainte

A sa façon brumeuse de marmonner « Allô ? », elle se douta bien qu'elle l'avait réveillé.

— Peter, c'est Faye. Navrée de te tirer du lit. J'avais oublié qu'il n'est que dix heures du matin. Pour un étudiant, c'est l'aube.

— Ne vous excusez pas. Il fallait que je me lève, de toute façon. J'ai un dernier contrôle avant les vacances et il faut que je bûche. J'ai potassé toute la nuit. Quel bon vent vous amène ?

— Une petite question.

— Je vous écoute.

— As-tu déjà entamé ton pot de caviar d'aubergines préparé par Olga ?

— Vous plaisantez ? Je l'ai fini il y a bien longtemps.

— Rien de spécial à son sujet ?

— Non. Le caviar était aussi délicieux que d'habitude. A propos d'Olga, j'ai une grande nouvelle : elle quitte l'hôpital cette semaine !

— Je sais, Peter. Ta mère me l'a dit. En un rien de temps, elle va te refaire du caviar.

— Tant mieux. Je commençais à m'impatienter.

— Une dernière chose. Tu as le numéro personnel du professeur Kavanagh ?

— Non. Mais je crois qu'il habite Maplewood. Les renseignements vous le donneront peut-être.

— Merci, Peter. Je te verrai dimanche. Ta mère m'a invitée pour le repas de Pâques.

120

Faye prit l'ascenseur descendant au studio de « A la une ce soir ». Richard venait de la convoquer dans l'aquarium. Elle se sentait nostalgique. C'était sa dernière semaine à KEY.

Cette mélancolie se changea en exaspération lorsqu'elle aperçut Dean Cohen installé dans le canapé, en face du bureau de Richard. Elle fit mine de ne pas le reconnaître.

Richard alla droit au but.

— Faye, après les meurtres chez Churchill's, je crois que nous en savons assez pour traiter le sujet,

Œuf de lune ou pas. L'angle serait : « Que se passe-t-il chez Churchill's ? » Il faudra que tu fasses attention. Pas une seule allégation qui ne soit fondée sur des faits. Pourrais-tu boucler ça pour vendredi soir ? Je voudrais en faire le numéro du jour de « L'Amérique à la loupe ». Deux minutes trente.

Elle apprécia l'ironie de la situation. Son dernier reportage pour KEY passerait dans le créneau le plus convoité de la chaîne, le soir du vendredi saint. Le jour anniversaire de la Crucifixion. Il s'agissait peut-être d'un signe, de l'amorce d'une renaissance, d'un autre vie après KEY…

« Ne sois pas stupide, pensa-t-elle. Ce ne sont que des coïncidences. »

— J'aurai terminé le jour dit, répliqua-t-elle sans la moindre hésitation.

121

Faye n'avait pas besoin d'appeler les renseignements pour obtenir le numéro de Kavanagh à Maplewood, dans le New Jersey. Il lui suffisait de téléphoner à Pat.

— Allô ?

— Pat, c'est Faye.

— Non. Je t'ai déjà dit que tu n'apporterais rien dimanche.

— Il ne s'agit pas de Pâques. Il faut que je joigne Tim Kavanagh. J'ai essayé à Seton Hall, mais la semaine sainte a déjà commencé et les vacances de printemps débutent mercredi.

— C'est à propos de quoi, Faye ?

— Oh, rien. Juste une intuition. Et je risque d'avoir l'air fin si elle se révèle fausse. Je te promets de tout te raconter dimanche.

Après l'avoir noté, Faye composa le numéro, dernière chance de prouver sa théorie. Elle tomba sur le répondeur de Kavanagh. Où était le professeur ?

Jack s'était montré sceptique lorsqu'elle lui avait dit qu'Olga pouvait avoir dissimulé l'Œuf de lune dans le caviar d'aubergines.

— Tout cela me paraît hasardeux, lui avait-il répondu. D'autant que ce jeu de mot avec « *eggplant* » n'est compréhensible qu'en anglais.

Elle lui avait alors expliqué que la vieille dame n'avait sans doute pas choisi cette cachette pour des raisons sémantiques. Mais l'idée n'était pas totalement absurde.

— Tim, c'est Faye Slater, déclara-t-elle après le signal sonore. Je sais que cela va vous sembler délirant, mais pourriez-vous examiner l'intérieur du pot de caviar d'aubergines que Pat vous a donné le jour où nous nous sommes trouvés ensemble dans l'appartement d'Olga ? Prévenezmoi si vous trouvez quelque chose d'inhabituel. Vous pouvez m'appeler à n'importe quelle heure. Merci mille fois.

Elle termina en laissant ses numéros de téléphone, chez elle et à son bureau.

Même si elle se trompait du tout au tout, cela valait le coup d'essayer.

122

Tout en ne perdant pas un mot du message de Faye, il ne fit pas un geste pour décrocher le téléphone.

Il n'avait aucune intention de le garder. Il voulait simplement prolonger le plaisir de le contempler. Comment aurait-il pu imaginer que lui, Timothy Kavanagh, posséderait un jour, même pour peu de temps, le dernier œuf de Pâques impérial russe ? Il fallait qu'il le garde pour lui, rien que pour lui, encore un peu.

Bien sûr, il n'avait révélé à personne ce qu'il avait trouvé dans le bocal. Tout d'abord, il ne l'avait pas cru : après tout, il avait assisté à la vente de l'œuf. Puis, après avoir étudié avec soin cet objet à la beauté rutilante, il s'était rendu à l'évidence : le trésor véritable était là, devant lui. Il n'y avait pas de hasard, dans la vie. Le destin avait décidé qu'il aurait, un jour, tout le loisir d'admirer cette merveille.

A présent, alors qu'une pile de copies à corriger l'attendait sur son bureau, le message de Faye Slater venait de lui apprendre que ce temps s'achevait. Pourtant, il ne la rappellerait pas tout de suite.

Mieux valait ne pas laisser entendre que ce coup de téléphone l'avait obligé à rendre l'œuf. Il fallait qu'il ait l'air de le restituer de son plein gré à qui de droit, comme il en avait toujours eu l'intention.

Dans la pénombre de son appartement, dont il avait tiré les rideaux pour préserver son secret,

Tim avait placé une lampe halogène au-dessus de l'Œuf de lune, simple support destiné à lui permettre de dégager sa propre lumière. Il le regarda, comme il l'avait regardé toutes les nuits depuis qu'il l'avait découvert, ébloui par la danse des diamants et des saphirs. Depuis onze jours, il ne s'en lassait pas. Ce trésor était devenu son hôte, son ami. L'idée d'avoir à s'en séparer lui brisait le cœur.

Il décrocha le téléphone. S'il voulait bâtir une relation durable avec Pat, il devait tout lui dire.

123

Mardi de la semaine sainte

Les deux vieilles dames étaient assises dans la salle de lecture, à l'étage de l'hôpital de Pascack Valley où se trouvait la chambre d'Olga. Olga, à présent, était capable de marcher. Et les quelques pas qui la séparaient de ce petit salon constituaient pour elle un excellent exercice.

Vêtue d'une robe de laine couleur lavande admirablement coupée, Nadine s'adressa tristement à sa sœur.

— Maintenant que j'ai perdu mon fils, tu es tout ce qui me reste, Olga. Je suis si reconnaissante à Dieu de nous avoir réunies ! Et si heureuse que tu viennes, dans quelques jours, habiter chez moi.

— As-tu une photographie de Victor ? lui demanda Olga en se redressant légèrement. Je n'ai jamais eu d'enfant. J'aimerais voir le visage de mon neveu.

Nadine extirpa doucement une photo de son porte-cartes de cuir. Elle la regarda, le cœur gros, puis la tendit à Olga qui la contempla sans un mot.

Elle ne put se résoudre à révéler à sa sœur que ce visage ne lui était pas inconnu. C'était celui de l'homme qui avait pris soin d'elle lorsqu'elle s'était évanouie devant la caisse du grand magasin. Celui qui avait sonné chez elle le jour de l'incendie.

124

Mercredi

Seul un petit groupe assistait à la mise en terre de Victor Paradise.

Sa mère se tenait très droite, les yeux secs. Rien, sur ses traits, ne trahissait sa torture intérieure. Comment avait-elle pu élever un futur assassin ? Elle sentit qu'on lui prenait très doucement le bras. C'était Stacey, qui portait des lunettes à la monture rouge.

« Tu croyais que je ne savais rien, mais j'avais tout deviné, pensa Nadine. Je sais que tu rêvais d'épouser Victor. » Elle leva les yeux vers cette femme de haute taille, la gratifia d'un pauvre sourire, plein de gratitude. Elle éprouvait aussi de la reconnaissance pour les quelques personnes qui n'avaient pas eu peur de suivre l'enterrement : Patricia Devereaux, Faye Slater et un homme qu'elle ne connaissait pas ; un ami de Victor, sans doute. Il avait des yeux bleus magnifiques, pénétrants.

125

Faye et Jack rentrèrent ensemble à Manhattan après la cérémonie. La jeune femme avait hâte de regagner son bureau. Il ne lui restait que deux jours avant la diffusion de son reportage. Les fêtes de la Pâques juive commençant au coucher du soleil, elle avait appris avec soulagement que Dean avait demandé l'autorisation de rentrer plus tôt chez lui.

La voiture franchit le pont George-Washington. Faye admira la vue que lui offrait l'Hudson, où se reflétait, dans sa majesté, le ciel de New York. Elle se sentait désolée pour Nadine Paradise. Quel destin cruel d'avoir élevé avec amour un enfant destiné à devenir un meurtrier de sang-froid... Jamais elle ne s'en consolerait. Mais la présence d'Olga à ses côtés adoucirait sans doute ses vieux jours. Les deux sœurs s'étaient enfin retrouvées. Elles n'étaient plus seules. Faye se promit de rester en contact avec elles. Plus tard, peut-être, Pat et elle pourraient prendre soin de celle qui resterait, après la disparition de l'autre.

— A quoi pensez-vous ? demanda Jack.

— A Nadine et Olga. Quel crève-cœur, pour Nadine, de perdre son fils unique alors qu'elle aurait pu savourer la joie d'avoir retrouvé sa sœur. La vie est injuste.

Elle baissa sa vitre, respira la brise du printemps. Un nouveau début... Jack lui prit la main, la serra avec force. Ce geste la toucha, même si elle avait autre chose en tête. Comment allait-elle bâtir son sujet sans montrer à l'écran, comme preuve irréfutable de ce qu'elle allait avancer, le véritable Œuf de lune ?

Il fallait qu'elle rappelle Tim Kavanagh.

126

Jeudi saint
Fête de la Pâques juive
1er avril

« Cette journaliste de KEY News a raison », se dit Clifford Montgomery en décrochant de nouveau le téléphone. Même s'il détestait cette idée, même si son angoisse, depuis une semaine, l'empêchait de dormir, il ne pouvait refuser, après ce qui s'était passé chez Churchill's, d'accorder un entretien à Faye Slater.

— Entendu. Je vous recevrai. Mais pas de caméra. Je ferai une simple déclaration.

En refusant de parler, il aurait laissé entendre qu'il avait quelque chose à cacher. Il savait que les membres du conseil d'administration de Churchill's suivraient, tout comme des millions d'Américains, le reportage de Faye. Ils n'auraient guère apprécié que le président de l'établissement n'ait rien à dire.

Il avait donc accepté cet entretien.

— Faye Slater, de KEY News, sera là dans une heure. Son reportage est presque terminé et elle insiste pour avoir mon commentaire, dit-il à la personne confortablement installée dans le fauteuil de cuir qui faisait face à son bureau.

— Quelle importance, maintenant que nous avons le véritable Œuf de lune ?

127

Avant de quitter son bureau, Faye décida d'appeler une dernière fois Tim Kavanagh. Elle était tombé si souvent sur son répondeur qu'elle fut surprise de l'entendre en personne.

— Oh, bonjour Faye. Navré de ne pas vous avoir téléphoné, mais les jours qui précèdent les vacances de printemps sont un véritable enfer. Je n'ai pas eu une minute pour vous rappeler.

« Je vous ai laissé au moins dix messages, pensa-t-elle. Vous auriez pu au moins avoir la courtoisie de me consacrer quelques minutes de votre emploi du temps si chargé. » Elle s'efforça, en expliquant le but de son appel, de maîtriser son exaspération.

Le silence qui suivit fut interminable. Tim, enfin, consentit à répondre.

— Écoutez, Faye, je ne vais pas jouer au plus fin avec vous. J'ai effectivement trouvé l'Œuf de lune dans le caviar d'Olga.

Eurêka ! Vingt-quatre heures à peine avant la diffusion de l'émission, l'Œuf de lune venait de réapparaître ! Elle tenait enfin la preuve qui lui manquait pour pouvoir dévoiler le scandale d'un faux vendu six millions de dollars. B.J. et elle allaient foncer vers le New Jersey et filmer cet objet miracle. Elle était sauvée !

— J'arrive, dit-elle fébrilement à Tim.

Elle repousserait son rendez-vous avec Clifford Montgomery en fin d'après-midi. A ce moment-là, elle aurait la preuve en main.

— Faye, cet Œuf de lune, je ne l'ai plus.

— Quoi?

— Je ne l'ai plus.

— Où est-il?

— Je l'ai rendu.

— Rendu à QUI?

— A Clifford Montgomery, chez Churchill's. Pat et moi avons pensé que c'était la meilleure chose à faire.

Pat? Pourquoi ne lui avait-elle rien dit? Mais pourquoi lui aurait-elle dit quoi que ce soit? Elle ignorait que son amie travaillait sur l'Œuf de lune. Faye se maudit d'avoir promis à Peter de garder le silence.

Coupant court à sa conversation avec Tim Kavanagh, elle appela aussitôt le FBI. Jack n'était pas dans son bureau.

Une fois de plus!

— Pourriez-vous lui dire que Faye a appelé? Dites-lui que j'ai trouvé ce que cherchais et que je me rends de ce pas chez Churchill's.

128

La réception appela le bureau de Montgomery pour annoncer que Faye Slater, de KEY News, attendait dans le hall.

238

— Faites-la monter, ordonna Clifford.

— Quelle que soit l'attitude de cette fouineuse, déclara avec assurance la personne assise en face de lui, restez ferme. A propos des meurtres qui ont été commis ici, chez Churchill's, vous ne savez rien de plus que ce que vous a appris la police.

— Et si elle remet sur le tapis ses soupçons à propos de l'œuf?

— Niez, niez, niez encore. Rappelez-vous qu'elle n'a aucune preuve.

La personne se leva, se glissa dans le cabinet de toilette de Clifford, dont elle tira la porte, la laissant à peine entrouverte.

Montgomery ouvrit celle de son bureau en entendant Faye pénétrer, de l'autre côté, dans celui de son assistante. L'endroit où travaillait jadis Meryl.

— Je vous en prie, mademoiselle Slater. Entrez donc.

129

B.J., au volant d'une camionnette, attendait sur Madison Avenue. Il n'avait pas eu besoin de coller sur le pare-brise le macaron « Presse » qui, d'ordinaire, lui permettait de se garer n'importe où sans risquer de contravention. En ce jeudi saint, qui était aussi le jour de la Pâques juive, le stationnement était libre dans toute la ville.

Les yeux rivés sur la façade de Churchill's, de l'autre côté de l'avenue, il sentit son estomac se nouer. Meryl.

Lorsque Faye lui avait demandé de l'accompagner, il n'avait accepté que parce qu'il s'agissait d'elle. Il n'avait, en fait, aucune envie de se trouver là, ni de pénétrer dans l'endroit où Meryl avait passé tant de temps et où il l'avait vue pour la dernière fois.

Mais Faye avait besoin de sa présence à proximité au cas où Montgomery, changeant d'avis, accepterait de s'exprimer devant une caméra de KEY News. Si elle réussissait à convaincre le président de Churchill's, elle joindrait B.J. sur le téléphone de son tableau de bord. Il ne lui faudrait alors que quelques minutes pour se retrouver avec son matériel dans le bureau de Montgomery, prêt à filmer sa déclaration.

Il souhaitait sincèrement que Faye réussisse son reportage. Mais il n'éprouverait aucune déception si elle ne l'appelait pas. Il ne désirait qu'une chose : ne jamais remettre les pieds chez Churchill's.

130

— Monsieur Montgomery, je sais que vous êtes un homme très occupé. Je ne vous ferai donc pas perdre votre temps en préliminaires, attaqua Faye d'entrée de jeu. Ce qui m'intéresse particulièrement, dans toute cette affaire, c'est la mise aux enchères d'un faux.

— Je croyais que vous vouliez m'entretenir de la mort de Meryl Quan et de Victor Paradise.

— Eh bien, parlons-en d'abord, puisque vous le souhaitez. Que savez-vous à ce propos ?

— Pas plus que ce que m'en a dit la police.

— Bien, alors nous pouvons poursuivre, reprit Faye, impatiente d'en venir au fait. Je sais, moi aussi, ce qu'en pense la police. Mais elle ne m'a rien appris sur ce que j'ai besoin de savoir à propos de ce cas remarquable d'un faux Fabergé. Le public de KEY News n'accordera qu'un intérêt limité à l'assassinat de deux inconnus. En revanche, il sera fasciné par la vente, pour six millions de dollars, d'une contrefaçon, vente organisée par un des établissements les plus célèbres du monde. Monsieur Montgomery, que savez-vous de l'Œuf de lune ?

— Mademoiselle Slater, répliqua Montgomery, exaspéré, nous avons déjà évoqué ce sujet.

— Oui, mais j'ignorais, alors, que le véritable objet vous avait été restitué.

Clifford fixa son accusatrice droit dans les yeux. Au même moment, la porte de son cabinet de toilette s'ouvrit sans bruit derrière Faye.

131

« Je monte, ou pas ? » se demanda B.J. En même temps, il mit le moteur en marche, comme s'il n'avait pas envie d'attendre l'appel de Faye.

Il y avait bien vingt minutes qu'elle avait pénétré chez Churchill's. La connaissant, il ne lui en fallait pas davantage pour faire plier Montgomery, l'amener à accepter la présence d'une caméra. S'il se décidait maintenant à monter, B.J. pourrait peut-être le mettre devant le fait accompli. « Allons, monsieur Montgomery. Vous devriez vraiment saisir cette occasion de parler au nom de Churchill's. Nous pouvons arranger cela très rapidement, monsieur. »

Mais B.J. ne voulait pas aller là-bas.

Il consulta sa montre, décida d'accorder à Faye quelques minutes supplémentaires.

132

Faye sentit quelque chose de froid et de dur s'appuyer contre sa nuque, puis, dans son cou, le rythme de son sang s'accélérer.

Horrifié, Clifford regardait la scène.

— Stacey, siffla-t-il entre ses dents, vous perdez la tête !

— Je n'ai pas été jusque-là pour qu'on se mette en travers de ma route, répondit-elle d'une voix hargneuse.

Il se leva, contourna son bureau et marcha vers les deux femmes.

— Il est trop tard, Stacey. KEY News s'apprête à dévoiler toute l'affaire.

— Ils n'ont que les deux assassinats. Seule la grande journaliste ici présente cherche à les lier au faux Fabergé.

— Vous ne pouvez pas commettre un troisième meurtre, déclara-t-il d'un ton désespéré.

Stacey eut un sourire rusé.

— Un troisième meurtre? De quoi parlez-vous?
Je n'ai tué personne. C'est Victor qui a tué Meryl
Quan. Et le joaillier. Lui aussi qui a tenté d'assassiner la vieille dame en mettant le feu à son misé-
rable petit appartement. Si seulement il avait
terminé le travail! A présent, à sa mort, sa mère
laissera tous ses biens à Olga. Et la seule chance
que j'avais de mettre la main sur la fortune de
Nadine s'est envolée. Grâce à Dieu, j'ai un plan de
rechange. Un plan imparable, magnifique. Je dois
avouer que je suis fière de moi.

— Arrêtez, Stacey, arrêtez. Ne dites plus rien,
supplia Clifford. Tout est fini.

— Ne me dites pas ce que j'ai à faire, Clifford.
Je ne suis plus une de vos étudiantes béates
d'admiration. Maintenant, c'est moi qui mène le jeu.

Stacey appuya un peu plus le canon de son
arme contre la nuque de Faye.

— Quant à toi, ma beauté, je vais te régler
ton compte.

133

Une Crown Victoria bleu sombre freina devant
la camionnette de B.J. Une voiture de fédéraux.
Ces types aimaient les grosses caisses. Ils croyaient
intimider les pauvres pékins.

Jack McCord bondit hors de l'engin.

— Salut, Jack! s'exclama B.J. en baissant
sa vitre.

L'agent du FBI se précipita vers la camionnette, les pans de son imperméable ouvert battant derrière lui.

— Où est Faye?

— Là-haut, avec Clifford Montgomery, répondit B.J. en désignant du pouce le sommet de la façade.

— Depuis combien de temps?

— Une petite demi-heure, précisa le caméraman en consultant sa montre.

— Allons-y! cria Jack.

Il courut en direction des lourdes portes de Churchill's. B.J. saisit sa caméra et le suivit.

134

En dépit de sa terreur, Faye s'efforçait de ne pas trembler. *Reste calme. Calme. Et guette ta chance.*

— Stacey, dit Clifford d'une voix qu'il voulait apaisante, j'ai la solution. Je vous propose un échange. Le vrai contre le faux. Personne ne s'apercevra de rien.

— Et comment allez-vous faire? coupa-t-elle sèchement.

— Réfléchissez, Stacey. L'œuf n'a pas été réglé. Et on n'obtient rien tant qu'on n'a pas payé. L'acheteur ne détient pas encore l'objet. Il est toujours là. Regardez, je vais vous le montrer.

Il alla jusqu'au mur, écarta une peinture à l'huile qui cachait un coffre-fort. Il composa rapidement la combinaison et la porte métallique s'ouvrit, révélant l'époustouflante beauté des deux Œufs de lune, en tous points identiques.

Stacey n'en revenait pas. Hébétée, elle contemplait les deux chefs-d'œuvre. *C'est le moment !* se dit Faye.

Profitant de cet instant de distraction, elle se retourna, agrippa le pistolet en redressant le poignet de Stacey, l'empêchant de viser. D'un coup de tête en pleine poitrine, elle la repoussa avec une violence inouïe. Stacey tomba en arrière, heurtant le mur. Mais elle réussit à faire feu.

135

B.J. filma tout ce qu'il put. Jack plongeant sur Stacey, la plaquant au sol, lui tordant les mains derrière le dos, lui passant les menottes. Faye rendue livide par la douleur, crispant ses doigts sur son épaule gauche. Le sang par terre. Clifford Montgomery allongé devant son bureau, sans connaissance. Et, dans le coffre ouvert, les deux Œufs de lune côte à côte, impériaux sur leur trône de pierreries.

Faye se doutait que la balle tirée par Stacey n'était pas passée loin du cœur. Elle se mit à prier de toute son âme. « Merci, mon Dieu, merci. » Sa gratitude se mêlait à la joie intense qu'elle éprouvait : elle avait assez d'images pour réaliser le reportage le plus fabuleux de sa carrière.

136

Vendredi saint

Alors que, rassemblant ses faibles forces et sans se soucier de la faim qui la tenaillait, Faye tapait d'un doigt, sur son ordinateur, le texte de son reportage, le téléphone sonna. Elle décrocha à contrecœur.

— Faye Slater.

— C'est moi.

— Salut, Robbie. Comment va ?

— C'est à toi qu'il faut demander ça, grande sœur. Je n'ai pas de nouvelles de toi depuis une éternité.

— Je suis en plein bouclage, Rob. Je te raconterai. Mais je suis heureuse que tu appelles. Pourrais-tu dénicher pour moi quelques clichés des Romanov ? J'en ai besoin pour mon reportage.

— Bien sûr. Il parle de quoi, ton reportage ?

Elle hésita un instant, prise entre son désir de ne pas perdre une minute et son refus de froisser son frère. Finalement, elle se décida et lut à Robbie le texte sur lequel elle travaillait.

— Qu'est-ce que tu en penses ? lui demanda-t-elle une fois sa lecture terminée.

— Ma chère grande sœur, j'ai quelque chose pour toi !

137

Ce vendredi soir, invitée personnelle de Richard Bullock, Faye regarda « A la une ce soir » dans l'aquarium. Son épaule bandée lui faisait encore horriblement mal, elle avait les yeux fatigués, injectés de sang. Cela ne l'empêchait pas de garder la tête haute et de se tenir très droite, comme une reine.

Pendant deux minutes et demie d'une intensité exceptionnelle, tout comme l'équipe de KEY News réunie au complet − et, elle l'apprit par la suite, des dizaines de millions de téléspectateurs américains − elle ne put détacher son regard de l'écran.

Pour la douzième fois, elle suivit le reportage qu'elle avait monté au cours des dernières vingt-quatre heures et que commentait, en cet instant, la voix toute professionnelle d'Eliza Blake.

« KEY News est aujourd'hui en mesure de révéler que l'œuf impérial Fabergé vendu le mois dernier chez Churchill's pour six millions de dollars était un faux. »

Suivit aussitôt une déclaration d'un représentant du Metropolitan Museum of Art.

« Les faux en œuvres d'art sont bien plus répandus qu'on ne le croit généralement. »

Eliza réapparut sur l'écran, filmée cette fois devant Churchill's.

« Cette affaire, qui ébranle le monde de l'art, a commencé à Saint-Pétersbourg, à l'époque de la Russie tsariste, pour se terminer des années plus tard, ici-même, dans la célèbre salle des ventes de

New York. Cupidité, angoisse, trahison, meurtre, tels sont les ingrédients de cet incroyable scandale. Faye Slater, de KEY News, s'est intéressée à cette histoire dès le mois dernier, lorsque Churchill's mit aux enchères un œuf d'émail censé être le dernier œuf de Pâques commandé au célèbre joaillier Carl Fabergé par l'empereur Nicolas II, peu avant sa chute. Surnommé l'Œuf de lune, il ne fut jamais livré au tsar et à son épouse Alexandra qui furent exécutés par les bolcheviks avec leurs cinq enfants. »

Faye avait intercalé des photos d'archives des Romanov que Robbie avait sélectionnées pour elle et des images prises par B.J. lors de l'exposition d'histoire russe. Les grandes toiles représentant l'empereur et l'impératrice s'intégraient parfaitement à l'ensemble.

« Dans le chaos provoqué par la révolution, la plupart des objets rassemblés dans l'atelier Fabergé, à Saint-Pétersbourg, furent saisis par le nouveau gouvernement, qui vendit ces chefs-d'œuvre au prix des pierreries et des métaux précieux, sans se soucier de leur valeur artistique. Quelques pièces quittèrent le pays. D'autres, en très grand nombre, se perdirent à tout jamais. Certaines, au fil des années, réapparurent comme par enchantement. »

Là, les images des chefs-d'œuvre de Fabergé exposés au Metropolitan Museum of Art étaient tout à fait à leur place.

« Ce fut, soi-disant, le cas de l'œuf que Churchill's mit aux enchères. On prétendit que quelqu'un l'avait découvert dans un marché aux puces de New York. Churchill's se porta garant de son authenticité. »

Apparurent alors des images de la vente, suivies d'une déclaration de Clifford Montgomery.

« Nous avons déjà eu le privilège de proposer aux acheteurs de magnifiques objets Fabergé, déclarait le président de Churchill's, mais aucun ne peut se comparer à l'éblouissant Œuf de lune. »

« A Wall Street, poursuivit Eliza, l'action de Churchill's a atteint des sommets après la publicité qui s'ensuivit et l'annonce de la somme faramineuse versée par un acheteur anonyme. Mais KEY News apprit, non seulement que l'article mis en vente par Churchill's était un faux, mais que le véritable Œuf de lune était entre les mains de la fille d'un joaillier qui, travaillant pour Fabergé, l'avait fabriqué dans l'atelier de ce dernier, en 1917. »

Tout le monde, dans l'aquarium, retint son souffle en voyant apparaître sur l'écran les images prises il y avait si longtemps, semblait-il, par B.J. dans l'appartement d'Olga.

Grâce à Dieu, Robbie avait trouvé la cassette. Faye se promit de donner la boîte à Jack et de lui demander d'y faire relever les empreintes digitales. « Dean, se dit-elle, tu n'es pas encore tiré d'affaire. »

Fidèle à sa promesse, elle n'avait utilisé que les images des mains de la vieille dame tenant l'Œuf de lune. On ne voyait pas le visage d'Olga.

« Ce n'est pas tout. La police, de son côté, enquête sur le meurtre d'une employée de Churchill's, Meryl Quan, et l'assassinat de Misha Grinkov, un bijoutier du quartier de Brighton Beach, à

New York. Les enquêteurs soupçonnent Grinkov d'avoir fabriqué le faux Œuf de lune. Et ils pensent que les deux meurtres ont été commis par Victor Paradise, le fils de la célèbre danseuse étoile Nadine Paradise. Malheureusement, Victor Paradise n'est plus en mesure de répondre à la moindre question. Il a été tué par le portier de Churchill's, qu'il avait agressé. La police s'intéresse également à une décoratrice d'intérieur de Saddle River, dans le New Jersey, nommée Stacey Spinner. Une source proche de l'enquête déclare que Spinner serait à l'origine de la contrefaçon et des assassinats, et que le président de Churchill's, Clifford Montgomery, aurait authentifié le faux Œuf de lune en connaissance de cause. Montgomery doit être prochainement interrogé. Pour l'heure, admis au New York Hospital, il se remet d'une blessure par balle. Le conseil d'administration de Churchill's s'est réuni d'urgence, aujourd'hui même, après l'effondrement des actions de la société à la Bourse de New York. Ici Eliza Blake, KEY News, New York. »

Richard Bullock se leva dès l'apparition, sur l'écran, du générique de fin.

— Beau travail, Faye. Tu auras un *Award*, j'en mets ma main au feu. Merci.

138

Dimanche de Pâques

Faye engloutit un autre minuscule œuf de Pâques en chocolat.

— Sois raisonnable, lui dit Jack. Sinon, tu n'auras plus faim pour le dîner de Pat.

Elle lui répondit d'une voix espiègle, en tirant la langue :

— Ne m'embête pas. Je n'ai presque rien mangé depuis deux jours. Et je meurs de faim.

— Alors, goûtez ça, proposa Tim Kavanagh. Ce sont des chocolats belges. Les meilleurs. Je les ai achetés la semaine dernière dans une petite boutique proche du siège des Nations unies, le jour où j'ai fait visiter les bâtiments de l'ONU à mes élèves.

Elle plongea sa main dans la boîte dorée qu'il lui tendait, porta avec gourmandise un chocolat à sa bouche.

— Le dîner est servi, annonça Pat en posant sur la table de la salle à manger un jambon rôti au miel.

Emily trottinait derrière sa maîtresse, alléchée par l'odeur. Faye s'installa en bout de table, pour éviter que le coude d'un convive ne heurte par inadvertance son bras douloureux. Jack prit place près d'elle. Assis l'un en face de l'autre, Tim Kavanagh et Jack se regardaient en chiens de faïence. Faye eut l'impression que la maîtresse de maison n'était pas mécontente de les avoir tous les deux, quémandant son attention. Alors qu'elle se réservait l'extrémité de la table proche de la porte de la cuisine, Peter s'assit à la place d'honneur et, à la demande de sa mère, récita le bénédicité. Il termina sa prière par une action de grâce, remerciant le Ciel pour le rétablissement de sa grand-mère adoptive.

— Bon appétit tout le monde ! s'écria Pat. Mais réservez-vous un peu pour la tarte aux fraises. Je me suis dit que nous pourrions faire un saut chez Nadine, après le dîner, pour la partager avec elle. D'autant qu'Olga a quitté l'hôpital hier soir.

Pendant tout le repas, Faye eut l'impression que chacun s'efforçait de parler gaiement de choses anodines. Mais, lorsque les convives quittèrent la table pour passer au salon, Peter alluma la télévision au moment où retentissait la musique de générique de l'édition dominicale de « A la une ce soir ».

— Je ne m'en sortirai jamais, remarqua Faye en s'asseyant pour écouter le présentateur du week-end.

« Le Kremlin a annoncé que le dernier Œuf impérial, spécialement conçu pour le tsar Nicolas II, souverain au destin si tragique, regagnera sous peu Saint-Pétersbourg, la ville où il vit le jour il y a plus de quatre-vingts ans. Le gouvernement russe s'est, de façon anonyme, porté acquéreur de l'Œuf de lune pour six millions de dollars, lors des enchères du mois dernier, retardant l'annonce de cette acquisition jusqu'au dimanche de Pâques, qui reste, traditionnellement, le jour le plus important du pays. »

— Ainsi, c'était eux ! s'exclama Faye. Mais Olga ? L'Œuf de lune lui appartient !

Peter sourit.

— Lorsque maman et moi l'avons accompagnée hier chez Mme Paradise, elle m'a raconté qu'un charmant agent du FBI était venu la voir. Elle lui a dit qu'elle n'estimait n'avoir aucun droit sur ce chef-d'œuvre qui, selon elle, appartient à juste titre au peuple russe.

Faye se tourna vers Jack.

— Tu savais tout cela ?

Il hocha la tête, sourit à son tour.

— Et les six millions de dollars, demanda-t-elle. Qui va les toucher ?

— Personne, répondit Jack. La Russie ne déboursera rien, ce qui est une bonne chose si l'on considère la situation financière du pays. Olga a refusé l'argent. Quant au conseil d'administration de Churchill's, il renonce à toute forme de commission. Beau geste, qui leur sera utile s'ils souhaitent que leur boîte ait encore un avenir.

— Debout ! dit Pat, qui avait déjà enfilé sa veste de tailleur et tenait entre les mains un carton à gâteau. Allons chez Olga et Nadine.

Tout le monde leva. Faye prit le bras de Jack et l'entraîna dans un coin.

— Moi aussi, j'ai une surprise, murmura-t-elle. Richard m'a avoué qu'il avait commis une erreur. Une erreur qu'il tient à corriger. Il m'a demandé si je voulais récupérer mon job.

Elle fit un effort pour réprimer un sourire de triomphe. Quelle revanche pour elle d'entendre le directeur de la rédaction reconnaître qu'il s'était trompé... Les yeux bleus de Jack scintillaient lorsqu'il se pencha vers elle.

— Ne me torture pas, Faye. Ce suspense est intolérable. Qu'est-ce que tu lui as répondu ?

Elle haussa les épaules, feignant l'indifférence. En dépit de toutes les bonnes raisons qu'elle s'était données, elle savait qu'elle n'était pas prête à quitter KEY News ni à renoncer à l'univers de la télévision. La perspective de réintégrer la chaîne la tête haute la ravissait. Mais elle n'allait pas laisser Richard croire qu'elle n'avait pas d'autre choix. Qu'il s'inquiète un peu. Cela ne lui ferait pas de mal.

— Alors, la vedette, insista Jack, qu'est-ce que tu lui as répondu?

— Je lui ai dit que j'allais y réfléchir.

Puis-je vous dire un secret ?

Mary Jane Clark

Un présentateur-vedette de JT qui se suicide sans raison apparente...

Une future First Lady impliquée dans une relation inavouable...

Une jeune journaliste qui ne se console pas de la mort de son mari...

Et un tueur insaisissable.

Le talent est-il héréditaire ? On serait tenté de le croire à la lecture de ce thriller de Mary Jane Clark, productréalisése Mary Higgins Clark.

Traduit de l'américain par François Thibaux

« Un thriller implacable sur l'univers des médias américains... »
Dan Rather

ISBN 2-84187-204-1 / H 50-2383-3 / 120 F

Monstrum

Donald James

Moscou, hiver 2015. La débâcle de l'Armée anarchiste laisse au président Koba la direction d'un pays exsangue, miné par la corruption et la mafia. Dans ce paysage de cauchemar, une vague de meurtres s'abat sur le quartier de Presnia. Les victimes : des jeunes filles que l'on retrouve mutilées.

L'œuvre d'un serial killer ? D'un Émule de Jack l'Éventreur ? Dans les bas-fonds moscovites, une rumeur circule : il s'agirait de la vengeance d'un « Monstrum », un de ces enfants arriérés que les sages-femmes, au temps de l'ancienne Russie, étranglaient pour préserver la réputation du village...

Pour Constantin Vadim, obscur inspecteur de Mourmansk muté à Moscou, l'affaire s'annonce périlleuse...

Né à Londres, Donald James a été scénariste au Canada et aux États-Unis avant de venir s'installer en Grande-Bretagne. Ce passionné de littérature policière est également l'auteur d'ouvrages de référence sur l'Histoire contemporaine. On lui doit notamment le Dictionnaire Penguin du IIIe Reich *et* La Chute de l'Empire soviétique *(éd. Sylvie Messinger, 1982).*

Traduit de l'anglais par Joseph Antoine

« Le thriller de l'année ! Monstrum allie le meilleur de *Gorky Park* et du *Silence des agneaux*. »

The Times

ISBN 2-84187-252-1 / H 50-2463-3 / 129 F

Le Second Suspect

Heather Lewis

Dans un luxueux hôtel de Manhattan, un meurtre sordide : le corps d'une prostituée est retrouvé dans un sac de golf. La chambre était réservée au nom de Santerre – le plus célèbre avocat de New York et son épouse.

Le couple est arrêté. Au commissariat, un duel étrange s'engage, à distance, entre Santerre et sa femme. Il l'accuse, chercher à la faire passer pour folle ; elle, hagarde, ne tente même pas de se défendre.

Mais pour l'inspecteur du NYPD Carolyn Reese, il ne suffit pas de compter parmi ses le Procureur général pour être au-dessus de tout soupçon.

Heather Lewis a exercé les professions de libraire, de publicitaire puis de journaliste free-lance avant de se lancer dans l'écriture. A l'occasion de la parution de son premier roman, le Los Angeles Reader *a salué l'éclosion d'un « formidable nouveau talent ». Elle vit à New York.*

Traduit de l'américain par Étienne Menanteau

« Érotique, électrifiant, haletant. »
The Bookseller

« Un thriller subtil, nerveux, tout en atmosphère. »
George Pelecanos

ISBN 2-84187-245-9 / H 50-2446-8-0006 / 120 F

Une pierre dans le cœur

Phillip Margolin

Portsmouth (Virginie). Une jeune fille, Elaine, retrouvée assassinée une semaine après son petit ami Richie! Deux crimes sans mobile apparent. Quelques mois d'enquête infructueuse, et l'affaire est classée.

Sept années passent. Un clochard se présente au bureau du procureur général de Portsmouth. L'objet de sa visite : lui révéler l'identité du meurtrier.

Qui pouvait vouloir la mort d'Elaine et de Richie? Et quel rapport entre ces deux adolescents et la bande des « Cobras »? Un vrai puzzle...

Avocat à la Cour suprême de l'Oregon, spécialiste de droit pénal, Phillip Margolin est l'un des auteurs de thrillers les plus lus au monde. Traduits en 22 langues, ses romans figurent régulièrement sur les listes de best-sellers aux États-Unis. En France ont paru, notamment, Les Heures noires *et* Le Dernier Homme innocent *(coll. « Spécial Suspense », Albin Michel, 1996 et 1999).*

Traduit de l'américain par Elisabeth Luc

« Rares sont les auteurs de thriller capables de tenir un lecteur en haleine pendant trois cents pages. Phillip Margolin est de ceux-là. »

Chicago Tribune

ISBN 2-84187-240-8 / H 50-2441-9-0005 / 120 F

Code SSN

Tom Clancy

Du chef de notre bureau de Pékin, Julie Meyer :

« Après deux jours de combat contre les forces vietnamiennes et philippines, la Chine a envahi l'archipel des îles Spratly qu'elle convoitait depuis longtemps. Le territoire paraît aujourd'hui entièrement sous contrôle chinois. Le pétrolier américain *Benthic Adventure* a été arraisonné. »

De notre correspondant à Washington, Michael Flasetti :

« En accord avec les Nations unies, le Président des États-Unis a annoncé que l'US Navy envoyait au large des îles Spratly les porte-avions *Nimitz* et *Independence*, et a décrété l'état d'alerte maximum. »

Éviter une déflagration mondiale : telle est la mission qui incombe au commandant Bartholomew « Mack » Mackey. Pour la mener à bien : des nerfs d'aciers, un équipage surentraîné et l'USS *Cheyenne*, sous-marin nucléaire de la dernière génération, fleuron de la flotte américaine.

On ne présente plus Tom Clancy : de son premier roman, A la poursuite d'Octobre Rouge, *à* Sur Ordre, *il s'est imposé, au côté de Michael DiMercurio, comme le maître du technothriller sous-marin.*

Traduit de l'américain par Dominique Chapuis
et le capitaine de vaisseau Denis Chapuis

ISBN 2-84187-157-6 / H 50-2325-4 / 98 F

Ouvrage composé
par Atlant'Communication
à Sainte-Cécile (Vendée)
Impression réalisée sur CAMERON par

BRODARD & TAUPIN
GROUPE CPI
La Flèche

en septembre 2000
pour le compte des Éditions de l'Archipel
département éditorial
de la S.A.R.L. Écriture-Communication

Imprimé en France
N° d'édition : 357 – N° d'impression : 4178
Dépôt légal : octobre 2000